Arndt

**Kauderwelsch
Band 52**

Rumänische Töpferkunst

Impressum

Jürgen Salzer
Rumänisch – Wort für Wort
erschienen im
REISE KNOW-HOW Verlag Peter Rump GmbH
Osnabrücker Str. 79, D-33649 Bielefeld
info@reise-know-how.de

© REISE KNOW-HOW Verlag Peter Rump GmbH
10. neu bearbeitete Auflage 2009
Konzeption, Gliederung, Layout und Umschlagklappen
wurden speziell für die Reihe „Kauderwelsch" entwickelt
und sind urheberrechtlich geschützt.
Alle Rechte vorbehalten.

Bearbeitung & Layout	Jean-Jacques Brunner, Claudia Schmidt
Layout-Konzept	Günter Pawlak, FaktorZwo! Bielefeld
Umschlag	Peter Rump, (Coverfoto: Rumänisches Touristenamt)
Kartographie	Iain Macneish
Fotos	Rumänisches Touristenamt (S. 18, 23, 27, 32, 48, 59, 123, 141); Joscha Remus (S. 8/9, 41, 56, 62, 98); Wilhelm Scherz (S. 144); Fotografen@Fotolia.com (S. 1, 31, 76/77, 127, 134 ‚Namensangabe am jeweiligen Bild)
Druck und Bindung	Fuldaer Verlagsanstalt GmbH & Co. KG, Fulda

ISBN: 978-3-89416-535-2
Printed in Germany

Dieses Buch ist erhältlich in jeder Buchhandlung Deutschlands, Österreichs, der Schweiz und der Benelux-Staaten.
Bitte informieren Sie Ihren Buchhändler über folgende
Bezugsadressen:

Deutschland	Prolit GmbH, Postfach 9, 35461 Fernwald (Annerod) sowie alle Barsortimente
Schweiz	AVA-buch 2000, Postfach 27, CH-8910 Affoltern
Österreich	Mohr Morawa Buchvertrieb GmbH, Sulzengasse 2, A-1230 Wien
Belgien & Niederlande	Willems Adventure, www.willemsadventure.nl
direkt	Wer im Buchhandel kein Glück hat, bekommt unsere Bücher zuzüglich Porto- und Verpackungskosten auch direkt über unseren Internet-Shop: **www.reise-know-how.de**

Zu diesem Buch ist ein **AusspracheTrainer** erhältlich, auf
Audio-CD in jeder Buchhandlung Deutschlands, Österreichs,
der Schweiz und der Benelux-Staaten oder als **MP3-Download**
unter **www.reise-know-how.de**
Der Verlag möchte die **Reihe Kauderwelsch** weiter ausbauen
und **sucht Autoren!** Mehr Informationen finden Sie unter
www.reise-know-how.de/rkh_mitarbeit.php

Kauderwelsch

Jürgen Salzer

Rumänisch

Wort für Wort

**REISE KNOW-HOW
im Internet
www.reise-know-how.de
info@reise-know-how.de**

*Aktuelle Reisetipps
und Neuigkeiten,
Ergänzungen nach
Redaktionsschluss,
Büchershop und
Sonderangebote
rund ums Reisen*

Kauderwelsch-Sprechführer sind anders!

Warum? Weil sie Sie in die Lage versetzen, wirklich zu sprechen und die Leute zu verstehen.

Wie wird das gemacht? Abgesehen von dem, was jedes Sprachbuch bietet, nämlich Vokabeln, Beispielsätze etc., zeichnen sich die Bände der Kauderwelsch-Reihe durch folgende Besonderheiten aus:

Die **Grammatik** wird in einfacher Sprache so weit erklärt, dass es möglich wird, ohne viel Paukerei mit dem Sprechen zu beginnen, wenn auch nicht gerade druckreif.

Alle Beispielsätze werden doppelt ins Deutsche übertragen: zum einen **Wort-für-Wort**, zum anderen in „ordentliches" Hochdeutsch. So wird das fremde Sprachsystem sehr gut durchschaubar. Denn in einer fremden Sprache unterscheiden sich z. B. Satzbau und Ausdrucksweise recht stark vom Deutschen. Ohne diese Übersetzungsart ist es so gut wie unmöglich, schnell einzelne Wörter in einem Satz auszutauschen.

Die **Autorinnen** und **Autoren** der Reihe sind Globetrotter, die die Sprache im Land selbst gelernt haben. Sie wissen daher genau, wie und was die Leute auf der Straße sprechen. Deren Ausdrucksweise ist nämlich häufig viel einfacher und direkter als z. B. die Sprache der Literatur oder des Fernsehens.

Besonders wichtig sind im Reiseland **Körpersprache, Gesten, Zeichen** und **Verhaltensregeln**, ohne die auch Sprachkundige kaum mit Menschen in guten Kontakt kommen. In allen Bänden der Kauderwelsch-Reihe wird darum besonders auf diese Art der nonverbalen Kommunikation eingegangen.

Kauderwelsch-Sprechführer sind keine Lehrbücher, aber viel mehr als Sprachführer! Wenn Sie ein wenig Zeit investieren und einige Vokabeln lernen, werden Sie mit ihrer Hilfe in kürzester Zeit schon Informationen bekommen und Erfahrungen machen, die „taubstummen" Reisenden verborgen bleiben.

Inhalt

9 Vorwort
10 Hinweise zur Benutzung
13 Die Rumänen und ihre Sprache
14 *Karte von Rumänien*
16 Aussprache & Betonung
19 Mitlautwechsel
20 Wörter, die weiterhelfen

Grammatik

24 Hauptwörter
28 Eigenschaftswörter
30 Steigern & Vergleichen
32 Persönliche Fürwörter
33 Wem? oder Wen?
36 Besitzanzeigende Fürwörter
38 Dieses & Jenes
40 Tätigkeitswörter
49 Möglichkeitsform
51 Wunsch- & Bedingungsform
52 Rückbezügliche Tätigkeitswörter
53 Fragen
55 Verneinung
58 Auffordern
59 Bindewörter
60 Verhältniswörter
63 Beugung der Hauptwörter
67 „Zusammengesetzte" Hauptwörter
68 Zahlen & Zählen
71 Mengenangaben
72 Zeit, Uhrzeit & Datum

Inhalt

Konversation

- 77 Kurz-Knigge
- 78 Anrede
- 79 Begrüßen & Verabschieden
- 79 Bitten, Danken, Wünschen
- 81 Floskeln & Redewendungen
- 88 Übernachten
- 92 Essen & Trinken
- 100 Zu Gast sein
- 107 Unterwegs
- 120 Einkaufen
- 124 Polizei & Behörden
- 125 Bank, Post & Telefonieren
- 128 Am Meer & Im Gebirge
- 131 Nachtleben
- 132 Liebesgeflüster
- 135 Fotografieren
- 136 Krank sein
- 139 Toilette & Co.
- 140 Schimpfen & Fluchen
- 142 Nichts verstanden? – Weiterlernen!

Anhang

- 144 Literaturhinweise
- 150 Wörterlisten (Systematik)
- 151 Wörterliste Deutsch – Rumänisch
- 163 Wörterliste Rumänisch – Deutsch
- 176 Der Autor

Junge Tänzer aus Munetien

Vorwort

Rumänien ist ein vielseitiges und faszinierendes Land. Landschaftlich bietet es eine große Vielfalt: ausgedehnte Badestrände an der Schwarzmeerküste, schroffes, wenig begangenes Hochgebirge, das geheimnisvolle Donaudelta, die Moldauklöster mit ihren berühmten Außenfresken, die mittelalterlichen Städte Siebenbürgens mit deutscher Prägung. Das alles ergibt eine bunte Palette, an der sich vor allem jene erfreuen können, die dem Massentourismus fernbleiben wollen.

Der Kauderwelsch-Band Rumänisch ist mit vielen nützlichen Informationen versehen und erklärt die Grammatik praxisorientiert und allgemeinverständlich, so dass ein unkomplizierter Einstieg in diese formenreiche Sprache möglich wird. Touristische Alltagssituationen sind hier so aufgearbeitet, dass man sofort zu sprechen anfangen und sich mit den Einheimischen verständigen kann.

Schon mit ganz wenigen Floskeln öffnen sich einem die rumänischen Häuser, und man kann die oftmals sprichwörtliche Gastlichkeit der Rumänen hautnah erleben. Mir bleibt nichts anderes übrig, als mult succes! (viel Erfolg!) beim Erlernen des Rumänischen zu wünschen.

Jürgen Salzer

Hinweise zur Benutzung

Der Kauderwelsch-Band Rumänisch ist in drei wesentliche Abschnitte, „Grammatik", „Konversation" und „Wörterliste", gegliedert:

Grammatik

Die Grammatik beschränkt sich auf das Wesentliche und ist so einfach gehalten wie möglich. Deshalb sind auch nicht sämtliche Ausnahmen und Unregelmäßigkeiten der Sprache erklärt. Natürlich kann man die Grammatik auch überspringen und sofort mit dem Konversationsteil beginnen. Wenn dann Fragen auftauchen, kann man immer noch in der Grammatik nachsehen.

Konversation

In der Konversation finden Sie Sätze aus dem Alltagsgespräch, die Ihnen einen ersten Eindruck davon vermitteln sollen, wie die rumänische Sprache „funktioniert" und die Sie auf das vorbereiten sollen, was Sie später möglicherweise in Rumänien hören werden. Denn was man vorher schon gelesen hat, versteht man später viel einfacher.

Wort-für-Wort-Übersetzung

Jede Sprache hat ein typisches Satzbaumuster. Um die sich vom Deutschen unterscheidende Wortfolge rumänischer Sätze zu verstehen, ist die Wort-für-Wort-Übersetzung in kursiver Schrift gedacht. Jedem rumänischen Wort entspricht ein Wort in der Wort-für-Wort-Übersetzung. Wörter, die hier in Klammern stehen, enthalten Zusatzinformationen oder sind zum besseren Verständnis ergänzt worden, z. B.:

10 | zece

Hinweise zur Benutzung

Sunt german.
(ich-)bin Deutscher
Ich bin Deutscher.

Wird ein rumänisches Wort im Deutschen durch zwei Wörter übersetzt, werden diese in der Wort-für-Wort-Übersetzung mit einem Bindestrich verbunden, z. B.:

hotelul
Hotel-das
das Hotel

Werden in einem Satz mehrere Wörter angegeben, die man untereinander austauschen kann, wird das durch einen Schrägstrich kenntlich gemacht:

Sunt german/român.
(ich-)bin Deutscher/Rumäne
Ich bin Deutscher/Rumäne.

Wird z. B. die männliche und weibliche Form eines Eigenschaftswortes angegeben, sieht das so aus:

Sunt fericit/ă.   (lies: **fericit/fericită**)
(ich-)bin glücklich(m/w)
Ich bin glücklich.   *(„ich" ist Mann/Frau)*

Mit Hilfe der Wort-für-Wort-Übersetzung können Sie bald eigene Sätze bilden. Sie können die Beispielsätze als Fundus von Satz-

Das persönliche Fürwort in Klammern (in der Wort-für-Wort-Übersetzung) kann entfallen, wenn die Verbform oder der Zusammenhang eindeutig ist.

Achtung: Da sich auch ein prädikativ gebrauchtes Eigenschaftswort (z. B. „ich bin glücklich") im Rumänischen nach dem Satzgegenstand (Subjekt) richtet, muss immer unterschieden werden, ob hier eine weibliche oder männliche Person gemeint ist. Im Deutschen steht hier nämlich die unveränderliche Form!

unsprezece | 11

Hinweise zur Benutzung

schablonen und -mustern benutzen, die Sie selbst Ihren Bedürfnissen anpassen. Um Ihnen das zu erleichtern, ist ein erheblicher Teil der Beispielsätze nach allgemeinen Kriterien geordnet („sich freuen", „sich ärgern", „zustimmen" usw.). Mit einem kleinen bisschen Kreativität und Mut können Sie sich neue Sätze „zusammenbauen", auch wenn das Ergebnis nicht immer grammatikalisch perfekt ausfällt.

Wörterlisten

Die Wörterlisten am Ende des Buches helfen Ihnen dabei. Sie enthalten einen Grundwortschatz von je ca. 1000 Wörtern „Deutsch-Rumänisch" und „Rumänisch-Deutsch", mit denen man schon eine ganze Menge anfangen kann.

Umschlagklappe

Die Umschlagklappe hilft, die wichtigsten Sätze und Formulierungen stets parat zu haben. Hier finden sich schnell die wichtigsten Angaben zur Aussprache und eine kleine Liste der wichtigsten Fragewörter, Richtungs- und Zeitangaben. Aufgeklappt ist der Umschlag eine wesentliche Erleichterung, da nun die gewünschte Satzkonstruktion mit dem entsprechenden Vokabular aus den einzelnen Kapiteln kombiniert werden kann.

Seitenzahlen

Um Ihnen den Umgang mit den Zahlen zu erleichtern, wird auf jeder Seite die Seitenzahl auch auf Rumänisch angegeben!

Wenn alles nicht mehr weiterhilft, dann ist vielleicht das Kapitel „Nichts verstanden? – Weiterlernen!" der richtige Tipp. Es befindet sich ebenfalls im Umschlag, stets bereit, mit der richtigen Formulierung für z. B. „Ich habe leider nicht verstanden." oder „Wie bitte?" auszuhelfen.

12 doisprezece

Die Rumänen und ihre Sprache

Die Rumänen und ihre Sprache

Die Rumänen sind ein liebenswertes Volk: tolerant, großzügig und überaus gastfreundlich. Durch Jahrhunderte während der Fremdherrschaft haben sie gelernt, im Privaten die schwierigsten Situationen zu meistern. Sie versuchen eben șmecher (etwa: „Schlitzohr") zu sein, um überhaupt überleben zu können. Dem westlichen Ausland huldigen sie vorbehaltlos. Westwaren, selbst wenn minderwertig, finden reißend Absatz, weil sie jahrzehntelang der von Armut gekennzeichneten Bevölkerung vorenthalten waren.

Lange Zeit hindurch wurde den Rumänen eingetrichtert, sie seien Abkömmlinge der Daker und Römer, was zum Teil stimmt. Doch haben auch die Wandervölker, vor allem die Slawen, ihre Sprache und Sitten geprägt. Das gilt besonders für die religiösen Feste und die damit verbundenen Bräuche, da die Rumänen überwiegend griechisch-orthodox sind.

In Rumänien leben eine Reihe von Minderheiten, wobei die Ungarn – vor allem in Siebenbürgen und im Banat – mit 10 % der Gesamtbevölkerung die wichtigste darstellt. Deutsche gibt es auch noch in den eben genannten Provinzen, doch schwindet ihre Zahl bedenklich schnell, so dass in wenigen Jahren nur noch ihre Baudenkmäler (Gotik in Siebenbürgen, Barock im Banat) verbleiben werden. Hinzu kommen Ukrainer (im Banat und

Andere Länder – Andere Sitten:

Joscha Remus
KulturSchock Rumänien
312 Seiten, € 14,90 [D]
ISBN 978-3-8317-1496-4

treisprezece | 13

Die Rumänen und ihre Sprache

in der Maramuresch) und Russen (im Donaudelta). Äußerst gering ist die Zahl der Juden, Griechen und Armenier, deren Zahl durch Auswanderung weiter abnimmt. Im Banat findet man Serben und Slowaken, in der Dobrudscha Türken und Tataren. Im Steigen begriffen ist wegen der hohen Geburtenrate die Zahl der Roma.

Rumänisch gehört zur romanischen Sprach-

14 paisprezece

Die Rumänen und ihre Sprache

familie. Die rumänische Sprache hat trotz langer Isolation vom Romanischen im Westen lateinische Strukturen bewahrt, die sich jedoch eigenständig entwickelt haben und daher teilweise schwer erkennbar sind.

Der rumänische Wortschatz enthält viele slawische Elemente und wurde durch Entlehnungen aus dem französischen Wortschatz und universell gebräuchlicher Latinismen angereichert. Heute beinhaltet die rumänische Sprache auch albanische, türkische und ungarische, aber auch – bedingt durch die Entwicklung in Wissenschaft und Technik – deutsche und englische Lehnwörter.

Die rumänische Grammatik ist wegen ihrer Vielfalt an Formen alles andere als einfach. Auch wenn man mal einen Fehler macht, sollte man sich nicht beirren lassen. Man wird schon verstanden! Übrigens ist jeder Rumäne stolz, wenn ein Ausländer versucht, Rumänisch zu sprechen, da er sich bewusst ist, dass Rumänisch zu den „kleinen" Sprachen gehört.

Aussprache & Betonung

Bei der Aussprache ist vor allem zu beachten, dass die Selbstlaute (Vokale) halblang und geschlossen ausgesprochen werden, z. B. e in m<u>e</u>rge (er geht) wird länger als in „Bett" und kürzer als in „Beet" ausgesprochen.

Die stimmhaften Mitlaute b, d, g, v, z werden am Wortende im Unterschied zum Deutschen stets stimmhaft ausgesprochen. Die Mitlaute p, t, k werden nicht wie im Deutschen mit Hauch (aspiriert) ausgesprochen.

Da es im Rumänischen keine feststehenden Betonungsregeln gibt, wurde der betonte Selbstlaut immer unterstrichen, z. B. rev<u>i</u>stă (Zeitschrift).

Selbstlaute (Vokale)

Übrigens: Das ă ist im Deutschen ein Laut, der nur in unbetonten Silben vorkommt, nicht so im Rumänischen. Hier kann ă auch betont werden, z. B. in <u>ă</u>sta (dies).

ă	auslautendes „e" wie in „Tag<u>e</u>" m<u>a</u>să (Tisch)
â	kurzes, offenes „ü" wie im Wort „Kürze" ausgesprochen (vgl. auch î!) rom<u>â</u>n (Rumäne)
e	wie im Deutschen, jedoch am Wortanfang mit leicht vorklingendem „j" <u>e</u>ste (ist)
ei	getrennt wie in „r<u>ei</u>nvestieren" <u>ei</u> (sie, Mz)
eu	getrennt „e-u" aussprechen wie in „Mus<u>eu</u>m"
â	<u>eu</u> (ich)

16 şaisprezece

Aussprache & Betonung

i	wie im Deutschen, jedoch am Wort-ende wie ein sanft gesprochenes „j"
	domni (Herren)
ie	getrennt sprechen wie in „Pietismus"
	frizerie (Friseurladen)
î	kurzes, offenes „ü" wie im Wort „Kürze" ausgesprochen
	în (in)

Mitlaute (Konsonanten)

ca,	**c** vor **a, o, u** wie „k" wie in „**K**atze"
co,	**cameră** (Zimmer)
cu	**coleg** (Kollege)
	cu (mit)
ce,	**c** vor **e, i** wie „tsch" wie in „deu**tsch**"
ci	**ce?** (wer?)
	cine? (wer?)
ch	vor **e** und **i** wie „k" mit leicht nach-klingendem „j" etwa wie in „K**j**ell", sonst wie „k", z. B. „ch" in „**Ch**aos"
	chelner (Kellner)
	chin (Plage)
ga,	**g** vor **a, o, u** wie „g" wie in „**G**olf"
go,	**gară** (Bahnhof)
gu	**gotic** (gotisch)
	gură (Mund)
ge,	**g** vor **e, i** wie stimmhaftes „dsch" in
gi	„**Dsch**ungel"
	german (deutsch)
	ginere (Schwiegersohn)

Kauderwelsch-AusspracheTrainer

Falls Sie sich die wichtigsten rumänischen Sätze, die in diesem Buch vorkommen, einmal von einem Rumänen gesprochen anhören möchten, kann Ihnen Ihre Buchhandlung den AusspracheTrainer zu diesem Buch besorgen. Sie bekommen ihn auch über unseren Internetshop www.reise-know-how.de Alle Sätze, die Sie auf dem Kauderwelsch-AusspracheTrainer hören können, sind in diesem Buch mit einem gekennzeichnet. Mehr über den Kauder-welsch-AusspracheTrainer erfahren Sie auf Seite 147

șaptesprezece | **17**

Aussprache & Betonung

gh	„g" mit leicht nachklingendem „j" etwa wie in „**Gj**ellerup" **gh**id (Reiseleiter)
j	stimmhaftes „sch" wie **g** in „Gara**g**e" **j**oi (Donnerstag)
r	gerolltes Zungenspitzen-R **R**omâni**a** (Rumänien)
s	stimmloses (scharfes) s wie in „na**ss**" **s**are (Salz)
ș	„sch" wie in „**sch**ön" **ș**apte (sieben)
ț	„z" wie in „**Z**ahl" **ț**ară (Land)
v	„w" wie in „**w**arm" **v**acanța (Ferien)
z	stimmhaftes „s" wie in „**s**agen" **z**ahăr (Zucker)

© Rumänisches Touristenamt

Flug durch die Karpaten

18 | optsprezece

Mitlautwechsel

Mitlautwechsel

Typisch für das Rumänische ist der so genannte Mitlautwechsel: Durch das auslautende -i in der Mehrzahlform von Haupt- und Eigenschaftswörtern sowie bei der Beugung der Verben verändern sich gewisse Mitlaute (d, s und t), an die das -i angehängt wird, auf charakteristische Weise. Das s wird auch zu ș, wenn zwischen ihm und dem i ein -t- steht. Da dies sehr häufig auftritt, sollte man den Mitlautwechsel sich gut einprägen.

Mitlautwechsel	vorher	nachher
d wird zu **z**	**eu cad**	**tu cazi**
	ich falle	du fällst
s wird zu **ș**	**frumos**	**frumoși**
	schön	schöne (m, Mz)
sc wird zu **șt**	**eu citesc**	**tu citești**
	ich lese	du liest
st wird zu **șt**	**turist**	**turiști**
	Tourist	Touristen
t wird zu **ț**	**bărbat**	**bărbați**
	Mann	Männer

Ähnlich kann ein s in Verbalformen auch vor einem -te zu ș werden : el/ea citește (er/sie liest).

nouăsprezece | 19

Wörter, die weiterhelfen

Wörter, die weiterhelfen

Schon mit ganz wenigen Vokabeln kann man sich in Rumänien verständlich machen. In einem Laden, einer Gaststätte oder einem Hotel findet man sich bereits mit folgenden Ausdrücken zurecht:

Aveți ...? (Haben Sie ...?)	
Aveți pâine?	Haben Sie Brot?
(Ihr-)habt Brot	
Aveți bere?	Haben Sie Bier?
(Ihr-)habt Bier	
Aveți o cameră?	Haben Sie ein Zimmer?
(Ihr-)habt Zimmer	

Hier kann nun eine Vielzahl von Hauptwörtern aus den Wörterlisten eingesetzt werden. Mögliche Antworten sind:

Da, avem.   **Nu, n-avem.**
ja, (wir-)haben   *nein, nicht-(wir-)haben*
Ja, wir haben.   Nein, wir haben nicht.

Rumänen sind Ausländern gegenüber gewöhnlich sehr höflich. Deshalb werden sie wahrscheinlich auch wie folgt antworten:

Nu, din păcate n-avem.
nein, aus Sünden nicht-(wir-)haben
Nein, haben wir leider nicht.

Wörter, die weiterhelfen

Unde este ...? (Wo ist ...?)

Unde este un hotel?	Wo ist ein Hotel?
Unde este un restaurant?	Wo ist ein Restaurant?
Unde este o alimentară?	Wo ist ein Lebensmittelladen?

un medic	ein Arzt
gara	der Bahnhof
ambasada	die Botschaft
aeroportul	der Flughafen
piața	der Markt
poliția	die Polizei
poșta	die Post
o stație de benzină	eine Tankstelle
un telefon	ein Telefon
un atelier	eine Werkstatt

Wenn das Hauptwort männlich oder sächlich ist, benutzt man den unbestimmten Artikel un (ein), wenn es weiblich ist, den Artikel o (eine).

Natürlich erhält man recht unterschiedliche Antworten. Folgende Wörter könnten darin vorkommen:

aici	hier
acolo	dort
imediat la dreapta *gleich bei rechts*	gleich rechts
imediat la stânga *gleich bei links*	gleich links

douăzeci și unu | **21**

Wörter, die weiterhelfen

drept înainte	geradeaus
gerade vorwärts	
vizavi	gegenüber
aproape	nah
departe	weit

Doresc ... (Ich möchte ...)

Mit doresc drückt man einen Wunsch oder eine Bitte aus. Und damit kann man schon allerhand erreichen.

Doresc o pâine.	Ich möchte ein Brot.
Doresc un timbru.	Ich möchte eine Briefmarke.

Cât costă ...? (Wie viel kostet ...?)

Cât costă o pâine?	Wie viel kostet ein Brot?
Cât costă o cameră?	Wie viel kostet ein Zimmer?
Cât costă o bere?	Wie viel kostet ein Bier?

Wenn Ihnen das passende Wort gerade nicht einfällt, können Sie auch auf den entsprechenden Gegenstand zeigen und fragen:

Cât costă?
wieviel (er-/sie-/es-)kostet
Wie viel kostet das (da)?

douăzeci și doi

Wörter, die weiterhelfen

Mulţumesc. (Ich danke.)

Sollte Ihnen das Wort mulţumesc zu schwer fallen, verwenden Sie einfach das französische *merci*, das im Rumänischen allerdings mersi geschrieben wird. Es ist durchaus gängig. Wer noch höflicher sein möchte, sagt:

Mulţumesc/mersi frumos.
(ich-)danke schön
Danke schön.

Mulţumesc/mersi mult.
(ich-)danke/danke viel
Danke vielmals.

Typische Landschaft in Maramures

douăzeci și trei | 23

Hauptwörter

Im Rumänischen gibt es wie im Deutschen männliche, weibliche und sächliche Hauptwörter (im Folgenden abgekürzt: m, w, s). Leider entspricht das Geschlecht im Rumänischen nicht immer jenem der deutschen Wörter. Das Geschlecht der Hauptwörter ist aber meistens leicht zu erkennen, da es jeweils typische Endungen hat:

In der Wort-für-Wort-Übersetzung wird das grammatische Geschlecht rumänischer Hauptwörter nicht ausgewiesen und auch mit dem passenden deutschen Artikel übersetzt, da man anhand von Artikel und Wortendung das grammatische Geschlecht ablesen kann.

	Endung Ez	Einzahl	Mehrzahl
m	Mitlaut	domn Herr	domni Herren
	-e	frate Bruder	frați* Brüder
w	-ă	cameră Zimmer	camere Zimmer
	-e	femeie Frau	femei Frauen
	-a	basma Kopftuch	basmale Kopftücher
s	Mitlaut	hotel Hotel	hoteluri Hotels
	-u	teatru Theater	teatre Theater
	-iu	fotoliu Sessel	fotolii Sessel

Achtung: Bei frați (mit * markiert) hat ein Mitlautwechsel stattgefunden! Die Veränderung

24 douăzeci și patru

Hauptwörter

von Mitlauten, an die ein -i angehängt wird, wird im Kapitel „Mitlautwechsel" erklärt.

In der Regel funktionieren etwa drei viertel aller Mehrzahlformen nach diesem Schema. In den Wörterlisten im Anhang sind trotzdem für alle Hauptwörter die Mehrzahlendungen aufgeführt.

unbestimmter Artikel

Der unbestimmte Artikel (ein, eine, einer) lautet bei männlichen und sächlichen Hauptwörtern un, bei weiblichen Hauptwörtern o. Er wird wie im Deutschen vor das Hauptwort gesetzt, z. B.:

un domn	**o cameră**	**un hotel**
ein Herr	ein Zimmer	ein Hotel

bestimmter Artikel

Der bestimmte Artikel (der, die, das) wird im Rumänischen (ebenso wie im Bulgarischen, Albanischen und in den skandinavischen Sprachen) an das Hauptwort angehängt.

Für die Bildung des Hauptwortes mit bestimmtem Artikel nimmt man einfach das Hauptwort und hängt die entsprechende Endung an, wobei in gewissen Fällen die ursprüngliche Endung entfällt. Achtung: Die Artikel-Endung Ez wird an das Hauptwort in der Einzahl angehängt, die Artikel-Endung Mz an das Hauptwort in der Mehrzahl.

douăzeci și cinci | 25

Hauptwörter

	Wort Ez	Artikel Ez	Artikel Mz
m	Mitlaut	+ -ul	+ -i
	-e	+ -le	+ -i
w	-ă	wird zu -a	+ -le
	-e	wird zu -a	+ -le
	-a	+ -ua	+ -le
s	Mitlaut	+ -ul	+ -le
	-u	+ -l	+ -le
	-iu	+ -l	+ -le

In der folgenden Übersicht wird das Schema der voranstehenden Tabelle an Hauptwörtern, die in der Einzahl stehen, angewandt. Hier einige Beispiele:

Hauptwort Einzahl	mit best. Artikel
domn	**domnul**
Herr	*Herr-der*
Herr	der Herr
frate	**fratele**
Bruder	*Bruder-der*
Bruder	der Bruder
cameră	**camera**
Zimmer	*Zimmer-die*
Zimmer	das Zimmer
hotel	**hotelul**
Hotel	*Hotel-das*
Hotel	das Hotel

In der nächsten Übersicht wird das Schema der oben stehenden Tabelle auf Hauptwörter in der Mehrzahl angewandt.

26 | douăzeci și șase

Hauptwörter

Hauptwort Mehrzahl	mit best. Artikel
domni	**domnii**
Herren	*Herren-die*
Herren	die Herren
frați	**frații**
Brüder	*Brüder-die*
Brüder	die Brüder
camere	**camerele**
Zimmer(Mz)	*Zimmer(Mz)-die*
Zimmer	die Zimmer
hoteluri	**hotelurile**
Hotels	*Hotels-die*
Hotels	die Hotels

Männer bei der Feldarbeit in Bucovina

douăzeci și șapte | 27

Eigenschaftswörter

Eigenschaftswörter

Im Unterschied zum Deutschen sind die Eigenschaftswörter (Adjektive) dem dazugehörigen Hauptwort nachgestellt:

Ausnahmen in der Reihenfolge von Haupt- und Eigenschaftswort stellen meistens Ausrufe, wie
Ce frumo**a**să f**a**tă!
(Welch schönes Mädchen!, wörtl. „was schöne Mädchen") dar.

o călă**torie lung**ă
eine Reise lange
eine lange Reise

o fată frumo**a**ă
eine Mädchen schönes
ein schönes Mädchen

Die Eigenschaftswörter stimmen stets in Geschlecht und Zahl mit dem Hauptwort, auf das sie sich beziehen, überein.

Am besten merkt man sich gleich folgende Faustregel: In der Einzahl ist die sächliche Form der männlichen und in der Mehrzahl ist sie der weiblichen Form gleich.

Einzahl			**Mehrzahl**	
m + s	**w**		**m**	**w + s**
bun	**bun**ă		**bun**i	**bun**e
guter/-s	gute		gute	gute

Beachten Sie: Anders als im Deutschen richtet sich das rumänische Eigenschaftswort auch prädikativ (also nicht nur attributiv) nach dem zugehörigen Hauptwort. Im Deutschen hat es hier die unveränderliche Form eines Umstandswortes (z. B. „sie ist gut").

Man unterscheidet in der Regel vier verschiedene Formen. Außerdem gibt es jedoch zahlreiche Eigenschaftswörter, die in der Einzahl zwei Formen und in der Mehrzahl nur eine Form haben, und solche, die jeweils nur eine Form für alle Geschlechter in der Ein- und Mehrzahl haben. Vergleichen Sie dazu die folgende Übersicht.

Eigenschaftswörter

Einzahl		Mehrzahl
m + s	**w**	**m + w + s**
mic	**mică**	**mici**
kleiner/-s	kleine	kleine
m + w + s		**m + w + s**
mare		**mari**
großer/große/großes		große

wichtige Eigenschaftswörter

tânăr	jung	**bătrân**	alt (Pers.)	*Wenn Sie einen*
nou	neu	**vechi**	alt (Dinge)	*Rumänen darum*
prost	dumm	**deștept**	klug	*bitten wollen, „lang-*
bun	gut	**rău**	schlecht	*samer" zu reden,*
înalt	hoch	**adânc**	tief	*müssen Sie das*
drăguț	hübsch	**urât**	hässlich	*Eigenschaftswort*
frumos	schön	**rar**	selten	rar *verwenden, also*
cald	warm	**rece**	kalt	mai rar. *Denn* încet
scurt	kurz	**lung**	lang	*bedeutet zwar*
încet	langsam	**repede**	schnell	*„langsam", aber*
ușor	leicht	**greu**	schwer	*auch „leise, sanft"*
îngust	eng	**minunat**	wunderbar	*usw.*
avantajos	günstig	**desavan-**	ungünstig	
		tajos		

Farben

roșu	rot	**maro**	braun
galben	gelb	**negru**	schwarz
verde	grün	**alb**	weiß
albastru	blau	**cenușiu**	grau

douăzeci și nouă 29

Steigern & Vergleichen

Die Steigerung ist gar nicht so schwer. In der Mehrstufe (1. Steigerung) stellt man das mai (noch) vor das Eigenschaftswort, und in der Meiststufe (2. Steigerung) wird vor die Mehrstufe zusätzlich die Partikel cel gesetzt.

steigern

Einzahl		Mehrzahl	
1. m + w + s		m + w + s	
mai		mai	
2. m + s	w	m	w + s
cel mai	cea mai	cei mai	cele mai

mai bun
besser(e/es)

mai bună
bessere

cei mai buni
besten

cele mai bune
besten

vergleichen

Um etwas miteinander zu vergleichen, benötigt man die folgenden zwei Ausdrücke:

decât

Raluca este mai bună decât Maria.
Raluca ist mehr gute als Maria
Raluca ist besser als Maria.

Steigern & Vergleichen

la fel de ... ca și

Raluca este la fel de bună ca și Maria.
Raluca ist genauso gut wie Maria.

La fel de ... ca și ist idiomatisch und bedeutet wörtlich „bei Art von ... wie auch ..."! (Die Beugung des Verbs a fi (sein) wird im Kapitel „sein und haben" erklärt.)

Kirchenburg in Cristian (Sibiu)

Persönliche Fürwörter

Die persönlichen Fürwörter (Personalpronomen) („ich, du, er, sie" etc.) werden im Rumänischen nicht so häufig benutzt wie im Deutschen, da die Person bereits am gebeugten Verb erkannt wird.

Beachten Sie, dass in der Mehrzahl „sie" unterschieden wird!

Einzahl		Mehrzahl	
eu	ich	noi	wir
tu	du	voi	ihr
el	er, es	ei	sie (m)
ea	sie	ele	sie (w/s)

Die Höflichkeitsform „Sie" heißt dumneavoastră. Wenn man jemanden siezt, benutzt man dieselbe Verbform wie für die 2. Person Mehrzahl (ihr).

dumneavoastră	Sie (höfl. Ez/Mz)

Der Parlamentspalast in Bukarest

32 | treizeci și doi

Wem? oder Wen?

Im Rumänischen werden „mir/mich", „dir/dich" wie im Deutschen unterschieden. Es gibt jeweils drei Erscheinungsformen desselben Wortes.

wem?

	voll	kurz	Kürzel
mir	mie	îmi	mi
dir	ţie	îţi	ţi
ihm	lui	îi	i
ihr	ei	îi	i
uns	nouă	ne	ni
euch	vouă	vă	vi
ihnen	lor	îi	le

wen?

	voll	kurz	Kürzel
mich	pe mine	mă	m-
dich	pe tine	te	te-
ihn	pe el	îl	l-
sie	pe ea	o	-o
uns	pe noi	ne	ne-
euch	pe voi	vă	v-
sie (m)	pe ei	îi	i-
sie (w+s)	pe ele	le	le-

Die volle Form wird verwendet, wenn sie (z. B. als Antwort) alleine steht.

Wem? oder Wen?

Cui dă dicționarul?   **Mie.**
wem (er-)gibt Wörterbuch-das   *mir*
Wem gibt er das Wörterbuch?   Mir.

Pe cine aștepți?   **Pe tine.**
auf wen (du-)wartest   *auf dich*
Auf wen wartest du?   Auf dich.

In einem vollständigen Satz wird jedoch die kurze Form verwendet. Sie steht dann im Gegensatz zum Deutschen vor dem Tätigkeitswort.

Îmi dă dicționarul.
mir (er-)gibt Wörterbuch-das
Er gibt mir das Wörterbuch.

O văd pe stradă.
sie (ich-)sehe auf Straße
Ich sehe sie auf der Straße.

Wenn das persönliche Fürwort besonders betont werden soll, wird die volle Form gebraucht, aber stets zusammen mit der kurzen Form: Beim Wem-Fall umschließen die beiden Formen das Tätigkeitswort (zuerst die kurze, danach die volle Form); beim Wen-Fall steht zuerst die volle und dann die kurze Form, beide jedoch vor dem Tätigkeitswort!

Îmi dați mie dicționarul!
mir gebt mir Wörterbuch-das
Geben Sie mir das Wörterbuch! (nicht ihm!)

Wem? oder Wen?

Pe ea o văd pe stradă.
auf sie sie (ich-)sehe auf Straße
Sie sehe ich auf der Straße. (und nicht ihn!)

Das Kürzel wird in der Vergangenheit und bei der Befehlsform benutzt. In der Vergangenheit wird es dem Hilfsverb a avea (haben) vorangestellt:

Mi-am cumpărat un dicționar.
mir-(ich-)habe gekauft ein Wörterbuch
Ich habe mir ein Wörterbuch gekauft.

L-am văzut.
ihn-(ich-)habe gesehen
Ich habe ihn gesehen.

Bei der weiblichen Form wird das -o an das Partizip angehängt:

Am văzut-o.
(ich-)habe gesehen-sie
Ich habe sie gesehen.

Das Kürzel wird auch an die Befehlsform gehängt:

Dă-mi te rog dicționarul!
gib-mir dich (ich-)bitte Wörterbuch-das
Gib mir bitte das Wörterbuch!

Cheamă-l!
ruf-ihn
Ruf ihn!

treizeci și cinci | 35

Besitzanzeigende Fürwörter

Besitzanzeigende Fürwörter

Die besitzanzeigenden Fürwörter (Possessivpronomen, z. B. „mein, dein") haben wie im Deutschen männliche, weibliche und sächliche Endungen (z. B. „meiner, meine, meines"). Auch hier gilt wieder die Faustregel, dass die sächliche Form in der Einzahl mit der männlichen und in der Mehrzahl mit der weiblichen Form übereinstimmt.

	Einzahl		Mehrzahl	
	m + s	w	m	w + s
ich	m<u>eu</u>	m<u>ea</u>	m<u>ei</u>	m<u>e</u>le
	mein	meine	meine	meine
du	t<u>ău</u>	ta	t<u>ăi</u>	t<u>a</u>le
	dein	deine	deine	deine
er/es	s<u>ău</u>	sa	s<u>ăi</u>	s<u>a</u>le
	sein	seine	seine	seine
sie	<u>ei</u>	<u>ei</u>	<u>ei</u>	<u>ei</u>
(Ez)	ihr	ihre	ihre	ihr
wir	n<u>o</u>stru	n<u>oa</u>stră	n<u>o</u>ștri	n<u>oa</u>stre
	unser	unsere	unsere	unsere
ihr	v<u>o</u>stru	v<u>oa</u>stră	v<u>o</u>ștri	v<u>oa</u>stre
	euer	eure	eure	eure
Sie	lor	lor	lor	lor
(Mz)	ihre	ihre	ihre	ihre

Statt der Formen s<u>ău</u>, sa, s<u>ăi</u>, s<u>a</u>le (sein, seine) kann die unveränderliche Form l<u>ui</u> (sein, seine) verwendet werden.

36 | treizeci și șase

Besitzanzeigende Fürwörter

Die besitzanzeigenden Fürwörter richten sich – wie auch die Eigenschaftswörter – in Zahl und Geschlecht nach dem Hauptwort, auf das sie sich beziehen. Sie stehen immer hinter dem Hauptwort. Dabei steht das Hauptwort stets mit dem bestimmten Artikel.

fratele meu
Bruder-der mein
mein Bruder

soția ta
Frau-die deine
deine Frau

hotelul său
Hotel-das sein
sein Hotel

camerele noastre
Zimmer-die unsere
unsere Zimmer

Mașina mea este foarte bună.
Wagen(Ez)-die meine (sie-)ist sehr gute
Mein Wagen ist sehr gut.

Fratele tău este mare.
Bruder-der dein (er-)ist groß
Dein Bruder ist groß.

treizeci și șapte | 37

Dieses & Jenes

Dieses & Jenes

Für die hinweisenden Fürwörter (Demonstrativpronomen) „dieses" und „jenes" gibt es drei verschiedene Formen, die leider alle drei gleich häufig benutzt werden, weswegen sie auch in der nachfolgenden Tabelle aufgeführt werden. Man unterscheidet hinweisende Fürwörter, die vor dem Hauptwort stehen (in der Tabelle „vor"), und solche, die nach dem Hauptwort stehen (in der Tabelle „nach"). Die mit * gekennzeichneten Formen werden in der Umgangssprache benutzt.

dieser, diese

	Einzahl		Mehrzahl	
	m + s	w	m	w + s
vor	acest	această	acești	aceste
nach	acesta	aceasta	aceștia	acestea
nach	ăsta*	asta*	ăștia*	ăstea*

jener, jene

	Einzahl		Mehrzahl	
	m + s	w	m	w + s
vor	acel	acea	acei	acele
nach	acela	aceea	aceia	acelea
nach	ăla*	aia*	ăia*	ălea*

Folgende Regel gilt: Steht das hinweisende Fürwort vor dem Hauptwort, steht das

Dieses & Jenes

Hauptwort in der Grundform (also ohne jeglichen Artikel). Steht das hinweisende Fürwort jedoch nach dem Hauptwort, muss das Hauptwort mit dem bestimmten Artikel benutzt werden:

Acest dicționar este bun.
dieses Wörterbuch ist gut

Dicționarul acesta este bun.
Wörterbuch-das dieses ist gut

Dicționarul ăsta este bun.
Wörterbuch-das dieses ist gut
Dieses Wörterbuch ist gut.

Acea cameră este mare.
jene Zimmer(Ez) ist groß

Camera aceea este mare.
Zimmer(Ez)-die jene ist groß

Camera aia este mare.
Zimmer(Ez)-die jene ist groß
Jenes Zimmer ist groß.

Am besten, man merkt sich nur eine dieser Formen, und zwar diejenige, die einem am einfachsten erscheint, wahrscheinlich die, die vor dem Hauptwort steht. So braucht man sich keine unnötigen Gedanken über den Artikel zu machen.

treizeci și nouă 39

Tätigkeitswörter

Über die rumänischen Tätigkeitswörter (Verben) hat der schwedische Romanistik-Professor Alf Lombard zwei kluge Wälzer geschrieben und danach behauptet, er habe noch nicht alle Seiten dieses Themas genügend beleuchtet. Kein Wunder also, dass mir dieses Kapitel ganz besondere Kopfschmerzen bereitet hat. Ich hoffe aber doch, dass es mir gelungen ist, das Wichtigste aus dem Wust von Formen herauszulösen und brauchbare, einsatzfähige Lösungen zu finden. Dass ich dabei von praktischen und nicht wissenschaftlichen Erkenntnissen ausgehe, mögen mir die Herren Philologen verzeihen!

Als Faustregel bei den Verben gilt, dass die persönlichen Fürwörter bei der Beugung (Konjugation) in der Umgangssprache weggelassen werden und nur dann vorkommen, wenn man die betreffende Person betonen will.

Gegenwart

Verben bestehen aus einem Stamm und einer Endung, die etwas über die Zeitstufe (Gegenwart, Vergangenheit und Zukunft) und die betreffende Person („ich, du, er ...") aussagt.

Der Endung in der Grundform (Infinitiv) nach werden die Verben in drei Gruppen eingeteilt. Zur Grundform gehört (fast) immer

Tätigkeitswörter

Straßenstand

das nicht übersetzbare Wort a. Es entspricht etwa dem „to" vor englischen Verben.

-a	a asculta; a fuma	hören; rauchen
-e/-ea	a merge; a cădea	gehen; fallen
-i/-â	a fugi; a coborâ	laufen; aussteigen

In den folgenden Beugungstabellen ist jeweils auch das Partizip des Verbs (Mittelwort der Vergangenheit, z. B. „gegangen, gegessen, genommen") mitangegeben, da es für die Bildung der Vergangenheit gebraucht wird.

Die regelmäßige Bildung des Partizips ist ziemlich einfach: Man hängt einfach ein -t an den Infinitiv (Grundform), z. B. a fuma wird zu fumat. Die unregelmäßigen Partizipien sind in den Wortlisten im Anhang durch „P" gekennzeichnet.

Tätigkeitswörter

Verben auf -a

Bei den Verben auf -a stimmt die 3. Person Einzahl (er/sie) meistens mit der entsprechenden Mehrzahlform (sie, Mz) überein. Es werden zwei Gruppen unterschieden.

Leider weist die Grundform (Infinitiv) keine Unterscheidungsmerkmale zwischen den beiden Gruppen auf. Es empfiehlt sich daher, sich auch stets die 1. Person Einzahl (ich) einzuprägen, die auch in den Wörterlisten im Anhang angegeben ist. Das Gleiche gilt für die Beugung der i-Verben.

a asculta	hören
ascult	ich höre
asculți	du hörst
ascultă	er/sie hört
ascultăm	wir hören
ascultați	ihr hört
ascultă	sie hören
ascultat	gehört (Partizip)

a fuma	rauchen
fumez	ich rauche
fumezi	du rauchst
fumează	er/sie raucht
fumăm	wir rauchen
fumați	ihr raucht
fumează	sie rauchen
fumat	geraucht (Partizip)

Tätigkeitswörter

Verben auf -e und -ea

a m**e**rge	gehen
merg	ich gehe
mergi	du gehst
merge	er/sie geht
mergem	wir gehen
mergeți	ihr geht
merg	sie gehen
mers	gegangen (Partizip)

a c**ă**de**a**	fallen
cad	ich falle
cazi	du fällst
cade	er/sie fällt
cădem	wir fallen
cădeți	ihr fallt
cad	sie fallen
căzut	gefallen (Partizip)

Verben auf -i und -â:

Hier gibt es gleich drei Untergruppen: zwei für die Verben auf -i und eine für die auf -â.

a fug**i**	laufen
fug	ich laufe
fugi	du läufst
fuge	er/sie läuft
fugim	wir laufen
fugiți	ihr lauft
fug	sie laufen
fugit	gelaufen (Partizip)

p**a**truzeci și tr**ei** | 43

Tätigkeitswörter

a citi	lesen
citesc	ich lese
citești	du liest
citește	er/sie liest
citim	wir lesen
citiți	ihr lest
citesc	sie lesen
citit	gelesen (Partizip)

a coborâ	aussteigen
cobor	ich steige aus
cobori	du steigst aus
coboară	er/sie steigt aus
coborâm	wir steigen aus
coborați	ihr steigt aus
coboară	sie steigen aus
coborât	ausgestiegen (Partizip)

wichtige unregelmäßige Verben

Hier führe ich nur die wichtigsten unregelmäßigen Verben auf.

	a da	a lua	a mânca	a bea
	geben	nehmen	essen	trinken
ich	dau	iau	mănânc	beau
du	dai	iei	mănânci	bei
er/sie	dă	ia	mănâncă	bea
wir	dăm	luăm	mâncăm	bem
ihr	dați	luați	mâncați	beți
sie	dau	iau	mănâncă	beau
Partizip	dat	luat	mâncat	băut
	gegeben	genommen	gegessen	getrunken

44 patruzeci și patru

Tätigkeitswörter

a veni	a putea	a vedea	a vrea	
kommen	können	sehen	wollen	
vin	pot	văd	vreau	*ich*
vii	poți	vezi	vrei	*du*
vine	poate	vede	vrea	*er/sie*
venim	putem	vedem	vrem	*wir*
veniți	puteți	vedeți	vreți	*ihr*
vin	pot	văd	vor	*sie*
venit	putut	văzut	vrut	*Partizip*
gekommen	gekonnt	gesehen	gewollt	

sein & haben

a fi	sein		
sunt	ich bin	suntem	wir sind
ești	du bist	sunteți	ihr seid
este	er/sie ist	sunt	sie sind
fost	gewesen		

In der Umgangssprache gibt es für die 1. und 3. Person Einzahl („ich, er/sie") auch folgende Kurzformen:

eu-s   ich bin   **el**/**ea e**   er/sie ist

A avea wird in der Gegenwart wie folgt gebeugt:

a avea	haben		
am	ich habe	avem	wir haben
ai	du hast	aveți	ihr habt
are	er/sie hat	au	sie haben
avut	gehabt (Partizip)		

patruzeci și cinci **45**

Tätigkeitswörter

Vergangenheit

Im Rumänischen gibt es vier Formen der Vergangenheit. Es würde jedoch zu weit führen, alle zu erwähnen. Deshalb habe ich nur die vollendete Gegenwart (Perfekt) gewählt, da sie am geläufigsten ist. Gebildet wird sie nur mit dem Verb a avea (haben) und dem Partizip (Mittelwort der Vergangenheit) des betreffenden Verbs.

a avea + Partizip	=	Vollendete Gegenwart
am	ascultat	ich habe gehört
ai	ascultat	du hast gehört
a*	ascultat	er/sie hat gehört
am*	ascultat	wir haben gehört
ați*	ascultat	ihr habt gehört
au	ascultat	sie haben gehört

Achtung: Die mit * gekennzeichneten Formen sind Kurzformen des Verbs a avea (haben).

Die Vergangenheit für alle anderen Verben funktioniert nach demselben Muster, auch wenn man im Deutschen das Hilfsverb „sein" gebraucht! So formuliert man im Rumänischen zum Beispiel:

Eu am mers.
ich (ich-)habe gegangen
Ich bin gegangen.

Tätigkeitswörter

Zukunft

Die Zukunft kann man auf drei verschiedene Arten ausdrücken: 1. Kurzformen des Verbs a vrea (wollen) in der Gegenwart + Grundform (Infinitiv) des jeweiligen Verbs:

a vrea +	Infinitiv	= Zukunft
voi	pleca	ich werde weggehen
vei	pleca	du wirst weggehen
va	pleca	er/sie wird weggehen
vom	pleca	wir werden weggehen
veți	pleca	ihr werdet weggehen
vor	pleca	sie werden weggehen

2. o + să + Verb in der Möglichkeitsform (s. nächstes Kapitel). O steht zusammen mit să, um die Zukunft (kurz: „Zuk.") anzuzeigen.

o să + Verb (Möglichkeitsform) = Zukunft	
o să fumez	ich werde rauchen
Zuk. dass (ich-)rauche	
o să fumezi	du wirst rauchen
Zuk. dass (du-)rauchst	
o să fumeze*	er/sie wird rauchen
Zuk. dass (er/sie-)raucht	
o să fumăm	wir werden rauchen
Zuk. dass (wir-)rauchen	
o să fumați	ihr werdet rauchen
Zuk. dass (ihr-)raucht	
o să fumeze*	sie werden rauchen
Zuk. dass (sie-)rauchen	

Lediglich die 3. Person Ez und Mz (*) der Möglichkeitsform unterscheidet sich von der Wirklichkeitsform (Indikativ): fumează.

patruzeci și șapte | 47

Tätigkeitswörter

3. Das Verb a av<u>ea</u> (haben) in der Gegenwart + Möglichkeitsform.

Die 1. Konstruktion gilt als gehoben, ist aber am einfachsten zu meistern, die 2. Konstruktion ist am gebräuchlichsten und die 3. am kompliziertesten, da hier zwei Verben gebeugt werden.

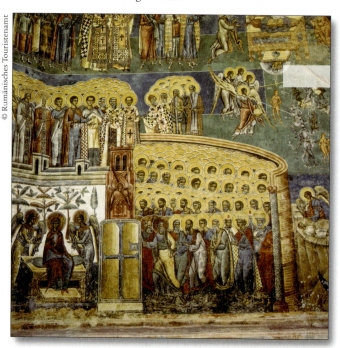

Wandmalerei im Kloster Voronet, Bucovina

Möglichkeitsform

Möglichkeitsform

Die Möglichkeitsform (Konjunktiv) ist eine andere Erscheinungsform des Verbs. Eigentlich dient sie nur dazu, den Inhalt der Aussage zu relativieren, z. B. „ich ginge" statt „ich gehe". Man erhält die Möglichkeitsform, indem man das Hilfswort să (wörtlich zu übersetzen etwa mit „dass") vor das Verb setzt, das man benutzen will. Das Verb wird genauso gebeugt wie sonst auch.

Ausnahme: In der 3. Person Einzahl und Mehrzahl („er/sie, sie") bekommt das gebeugte Verb jedoch eine andere Endung, wenn es auf -e, -ă oder einen Mitlaut endet. Es gibt natürlich auch Ausnahmen von dieser Regel, doch die sind so kompliziert, dass sie hier nicht erläutert werden sollen.

Verb endet auf	Veränderung	Konjunktiv-Endung
-e	wird zu	-ă
Mitlaut	daran wird angehängt	-ă
-ă	wird zu	-e

el/ea fuge
er/sie läuft
er/sie läuft

el/ea să fugă
er/sie dass (er-/sie-)laufe
er/sie laufe

ei/ele fug
sie(m/w, Mz) laufen
sie laufen

ei/ele să fugă
sie(m/w, Mz) dass (sie-)laufen
sie würden laufen

patruzeci și nouă | **49**

Möglichkeitsform

el/ea mănâncă **el/ea să mănânce**
er/sie isst *er/sie dass (er-/sie-)esse*
er/sie isst er/sie esse

ei/ele mănâncă **ei/ele să mănânce**
sie (m/w, Mz) essen *sie (m/w, Mz) dass (sie-)essen*
sie essen sie würden essen

Das Bindewort să („dass") braucht man auch, um zwei Verben miteinander zu kombinieren, z. B. „ich will gehen", „du darfst rauchen" usw.

Die Konstruktion wird gebildet, indem man să zwischen die beiden Verben setzt, die man kombinieren will. Im Gegensatz zum Deutschen werden jedoch beide Verben gebeugt:

Vreau să vin.
(ich-)will dass (ich-)komme
Ich will kommen.

Vrei să vii.
(du-)willst dass (du-)kommst
Du willst kommen.

Wunsch- & Bedingungsform

Die Bedingungsform (Konditionalis) der
rumänischen Verben dient nebenbei auch als
Wunschform (Optativ). Also sowohl „ich würde etwas tun" als auch „ich würde es gerne
tun" oder „ich möchte es tun". Letztere An-
wendung ist sehr üblich, weil sich die Rumänen gerne höflich ausdrücken.

Die Bildung ist sehr einfach: Man braucht
dafür die Sonderformen des Hilfsverbs a avea
(haben) und die Grundform (Infinitiv) des gewünschten Verbs. Bei der Beugung des Hilfsverbs a avea (haben) gibt es nur zwei Ausnahmen: as statt am (1. Person Ez) und ar statt
a (3. Person Ez).

a avea + Infinitiv = Wunschform		
aş	veni	ich käme (gerne)
ai	pleca	du gingest (gerne)
ar	citi	er läse (gerne)
am	lucra	wir arbeiteten (gerne)
aţi	merge	ihr ginget (gerne)
ar	putea	sie würden (gerne) können

Die Vergangenheit ist ebenso einfach zu bilden: Ersetzen Sie im obigen Schema den Infinitiv durch das Verb fi (sein) + das Partizip des
gewünschten Verbs, z. B. aş fi venit (ich wäre
(gerne) gekommen, wörtl. „(ich-)habe sein
gekommen") oder ar fi citit (er/sie hätte (gerne)
gelesen, wörtl. „(er-/sie)hat sein gelesen").

cincizeci şi unu | **51**

Rückbezügliche Tätigkeitswörter

Rückbezügliche Tätigkeitswörter

Die rückbezüglichen oder rückbezüglich gebrauchten Tätigkeitswörter (Reflexivverben), z. B. a se juca (spielen) und a se spăla (sich waschen) erkennt man daran, dass das reflexive Fürwort se (sich) vor der Grundform (Infinitiv) des betreffenden Verbs steht. Bei der Beugung des Verbs wird (wie im Deutschen) auch das rückbezügliche Fürwort se gebeugt.

rückbezügliches Fürwort

mă	mich	**ne**	uns
te	dich	**vă**	euch
se	sich (Ez)	**se**	sich (Mz)

Das rückbezügliche Fürwort steht im Gegensatz zum Deutschen immer vor dem gebeugten Verb:

(Eu) mă spăl.
(ich) mich (ich-)wasche
Ich wasche mich.

(El/ea) se spală.
(er/sie) sich (er-/sie-)wäscht
Er/sie wäscht sich.

Fragen ?!

Fragen

Fragen, auf die man nur mit Ja oder Nein antwortet, sind mit dem entsprechenden Aussagesatz identisch. Die Frage ergibt sich aus der Satzmelodie. Im Rumänischen wird bei einer Frage (wie auch im Deutschen) der Ton am Ende des Satzes angehoben:

El este medic.	**El este medic?**
er (er-)ist Arzt	*er (er-)ist Arzt*
Er ist Arzt.	Ist er Arzt?

Ergänzungsfragen werden mit Fragewörtern gebildet. Auf diese Fragen kann man nur mit einem Satz antworten. Die Fragewörter stehen wie im Deutschen am Satzanfang.

cine?	wer?
ce?	was?
de ce?	warum?
von was	
unde?	wo?
de unde?	woher?
von wo	
cum?	wie?
care?	welche(r, -s)
încotro?	wohin?
când?	wann?
cât?	wie viel?
câți? *(m)*/**câte?** *(w)*	wie viele?

Câți bezieht sich auf ein männliches Hauptwort in der Mehrzahl, câte auf ein weibliches in der Mehrzahl.

cincizeci și trei | 53

Fragen

Când vine medicul?
wann (er-)kommt Arzt-der
Wann kommt der Arzt?

Încotro mergem?
wohin (wir-)gehen
Wohin gehen wir?

Câți ani ai?
wieviele Jahre (du-)hast
Wie alt bist du?

Cum te cheamă?
wie dich (er-)ruft
Wie heißt du?

De unde vii?
von wo (du-)kommst
Woher kommst du?

Ce este aceasta?
was ist diese(w,Ez)
Was ist das?

Îți/vă place ...?
dir/Euch gefällt ...
Gefällt dir/
Ihnen ...?

Ce faci/faceți?
was machst/(Ihr-)macht
Was machst du/
machen Sie?

Știi/știți ...
(du-)weißt/(Ihr-)wisst ...
Weißt du/Wissen Sie ...

Ce s-a întâmplat?
was sich-hat geschehen
Was ist los?

Ce dorești/doriți?
was (du-)wünschst/(Ihr-)wünscht
Was möchtest du/möchten Sie?

Unde mergi/mergeți?
wo (du-)gehst/(Ihr-)geht
Wohin gehst du/gehen Sie?

De unde vii/veniți?
von wo (du-)kommst/(Ihr-)kommt
Woher kommst du/kommen Sie?

Verneinung

Verneinung

Aussagesätze werden verneint, indem man das Wort nu (nein/nicht) vor das Verb setzt. Häufig wird die Verneinung sogar „verdoppelt".

nu (nein, nicht)

Am mașină.   **Nu, n-am mașină.**
(ich-)habe Auto *nein, nicht-(ich-)habe Auto*
Ich habe ein Auto. Ich habe keinen Auto.

Wenn man auf eine Frage mit Nein antworten will, wird oft nur das Verb in der entsprechend gebeugten Form wiederholt und ebenfalls das Wort nu (nein/nicht) vorangestellt. Auch hier wird die Verneinung meistens „verdoppelt".

Ai mașină?   **Nu, nu am.**
(du-)hast Auto *nein, nicht (ich-)habe*
Hast du ein Auto? Nein, habe ich nicht.

Wenn die Verneinung vor dem Verb a avea (haben) steht, kann das Verneinungswort nu auch in der Kurzform n- bzw. nu- auftreten:

N-am țigări.
nicht-(ich-)habe Zigaretten
Ich habe keine Zigaretten.

cincizeci și cinci | 55

Verneinung

N-avem pâine acasă.
nicht-(wir-)haben Brot zu-Hause
Wir haben kein Brot zu Hause.

Kurzformen des Verbs a fi (sein) sind bei der Verneinung nur in der 1. und 3. Person Einzahl gebräuchlich: nu-s statt nu sunt (ich bin nicht) und nu-i statt nu este (er/sie ist nicht).

Verneinungen wie „niemand, nichts, niemals" usw. verlangen im Rumänischen eine besondere Konstruktion. Das Verb, das verneint werden soll, steht dabei zwischen dem nu und der eigentlichen Verneinung. Eine Ausnahme stellt lediglich die Konstruktion mit nimeni (niemand) dar.

Wassertalbahn

56 cincizeci și șase

Verneinung

nu ... nimic (nichts)

Nu știi nimic.
nicht (du-)weißt nichts
Du weißt nichts.

Nu vrei nimic?
nicht (du-)willst nichts
Willst du nichts?

nu ... niciodată (niemals)

Acesta nu fac niciodată.
das nicht (ich-)mache niemals
Das mache ich niemals.

N-ai fost niciodată la București?
nicht-(du-)hast gewesen niemals in Bukarest
Warst du niemals in Bukarest?

nu ... nicăieri (nirgendwo)

Nu-l găsesc nicăieri.
nicht-ihn (ich-)finde nirgendwo
Ich finde ihn nirgendwo.

Nu-i nicăieri?
nicht-(er-/sie-/es-)ist nirgendwo
Ist er/sie/es nirgendwo?

nimeni nu (niemand)

Nimeni nu este aici.
niemand nicht ist hier
Hier ist niemand.

Nu vine nimeni?
nicht kommt niemand
Kommt niemand?

cincizeci și șapte | 57

Auffordern

Auffordern

Um jemanden zu etwas aufzufordern oder um etwas zu bitten, braucht man sich keine neuen Verbformen einzuprägen! Das ist nach dem Formenreichtum der rumänischen Sprache vielleicht ein kleiner Trost. Die Verbform, um eine einzelne Person aufzufordern, ist mit der Verbform der 3. Person Einzahl identisch:

(Tu) îmi dai sarea.   Dă-mi sarea!
(du) mir gibst Salz-die (w) gib-mir Salz-die (w)
Du gibst mir das Salz. Gib mir das Salz!

Die Aufforderung an mehrere Personen, die man duzt, oder an eine oder mehrere Personen, die man siezt, ist identisch.

Für mehrere Personen, die man duzt, braucht man die Verbform der 2. Person Mehrzahl (ihr):

(Voi) îmi daţi o pâine.   Daţi-mi o pâine!
(ihr) mir gebt eine Brot (w) gebt-mir eine Brot (w)
Ihr gebt mir ein Brot.   Gebt mir ein Brot!

Jemanden, den man siezt, fordert man auch mit der Verbform der 2. Person Mehrzahl auf:

Ne daţi o pâine.
uns gebt eine Brot (w)
Sie geben uns ein Brot.

Daţi-ne o pâine!
gebt-uns eine Brot (w)
Geben Sie uns ein Brot!

cincizeci şi opt

Auffordern

Einige sehr gängige Aufforderungen sind:

h<u>a</u>i!	los!
v<u>i</u>no!	komm!
h<u>a</u>ide!	los schon!
h<u>a</u>ideți!	kommt doch!, kommen Sie!
d<u>u</u>-te!/duc<u>e</u>ți-vă!	geh!/geht!, gehen Sie!
f<u>i</u>i!/f<u>i</u>ți!	sei!/seien Sie!

© Rumänisches Touristenamt

■ Mogosoaia-Palast in Bukarest

c<u>i</u>ncizeci și n<u>o</u>uă | 59

Bindewörter

Die Bindewörter (Konjunktionen) werden genauso wie im Deutschen verwendet.

și	und, auch
sau	oder
ori ... ori	entweder ... oder
nici ... nici	weder ... noch
dar	aber
că, să	dass
căci	denn
dacă	wenn
de aceea	deshalb
iar	doch
întrucât	da
pentru că	weil

Verhältniswörter

Verhältniswörter

Die Verwendung von Verhältniswörtern (Präpositionen) ist nicht allzu schwer. Das Hauptwort steht meistens unverändert (also ungebeugt!) und ohne den (angehängten) bestimmten Artikel hinter dem jeweiligen Verhältniswort.

la	in, bei, zu, nach
pe	auf
de	von
lângă	neben
pentru	für
din	aus
între	zwischen
în	in
fără	ohne
peste	über
sub	unter
după	nach
despre	über (etwas)
spre	zu, nach
cu	mit
prin	durch

pe masă
auf Tisch
auf dem (oder auch: den) Tisch

în oraș
in Stadt
in der (oder auch: die) Stadt

șaizeci și unu | 61

Verhältniswörter

Diese Regel gilt jedoch nicht, wenn das Hauptwort durch hinweisende Fürwörter (dieser, jener) oder Eigenschaftswörter (groß, schön usw.) näher bestimmt ist. Dann muss das Hauptwort nämlich mit Artikel stehen.

pe masa aceasta　　**în orașul mare**
auf Tisch-die diese(Ez)　　*in Stadt-das groß(s)*
auf diesem Tisch　　in der großen Stadt

Folgt auf die Verhältniswörter în, din, prin ein Hauptwort mit unbestimmtem Artikel, so nehmen sie die Formen într-, dintr-, printr- an:

într-un oraș　　**dintr-o casă**
in-ein Stadt　　*aus-eine Haus*
in einer Stadt　　aus einem Haus

printr-un oraș
durch-ein Stadt
durch eine Stadt

șaizeci și doi

Beugung der Hauptwörter

Die Beugung von Hauptwörtern ist viel weniger kompliziert als im Deutschen. Generell braucht man sich nur eine gebeugte Form des Hauptwortes zu merken.

1. – 4. Fall

Im Deutschen werden vier Fälle unterschieden:

1. Fall	Werfall, Nominativ
	Frage: wer?, was? (z. B. „der Herr")
2. Fall	Wesfall, Genitiv
	Frage: wessen? („des Herrn")
3. Fall	Wemfall, Dativ
	Frage: wem? („dem Herrn")
4. Fall	Wenfall, Akkusativ
	Frage: wen?, was? („den Herren")

Im Rumänischen fallen jeweils der deutsche 1. und 4. Fall (Wer- und Wenfall) sowie der deutsche 2. und 3. Fall (Wes- und Wemfall) zusammen.

Das, was im Rumänischen dem deutschen 1. und 4. Fall entspricht, sind die Formen der Hauptwörter, wie sie in den vorangegangenen Kapiteln vorgestellt wurden. Der dem deutschen 2. und 3. Fall entsprechende rumänische Fall wird in den folgenden Kapiteln als „gebeugt" bezeichnet.

şaizeci şi trei | 63

Beugung der Hauptwörter

Beugung mit unbestimmtem Artikel

Steht das Hauptwort mit dem unbestimmten Artikel, wird nur der Artikel gebeugt. Die Hauptwörter bleiben unverändert.

In der Einzahl wird bei männlichen und sächlichen Hauptwörtern das Wort unui (eines) und bei weiblichen Hauptwörtern das Wort unei (einer) dem Hauptwort, das gebeugt werden soll, vorangestellt. Das Hauptwort steht dann in der Einzahl. Ausnahme: Die weiblichen Hauptwörter stehen immer in der Mehrzahl!

In der Mehrzahl wird stets das Wort unor (einiger) vorangestellt. Die Hauptwörter stehen dann in der Mehrzahl.

	Einzahl	Mehrzahl
männlich	unui domn	unor domni
weiblich	unei camere	unor camere
sächlich	unui hotel	unor hoteluri

Beugung mit bestimmtem Artikel

Ein bestimmtes Hauptwort in der Einzahl wird gebeugt, indem man die Endung -ui an männliche und sächliche Hauptwörter, -ei an weibliche Hauptwörter anhängt.

In der Mehrzahl wird die Endung -lor an das Hauptwort angehängt.

Außerdem muss man Folgendes beachten: In der Mehrzahl werden die Hauptwörter in ihrer Grundform (also ohne die Endung des

Beugung der Hauptwörter

bestimmten Artikel) verwendet. Sie stehen dann natürlich auch in der Mehrzahl. In der Einzahl sieht das etwas anders aus: Für männliche und sächliche Hauptwörter nimmt man das Hauptwort mit der entsprechenden Endung für den bestimmten Artikel, für weibliche Hauptwörter nimmt man das Hauptwort in der Mehrzahl, jedoch in der Grundform (d. h. ohne Artikel-Endung).

	Einzahl	Mehrzahl
männlich	**domnului**	**domnilor**
	des Herrn	der Herren
weiblich	**camerei**	**camerelor**
	des Zimmers	der Zimmer
sächlich	**hotelului**	**hotelurilor**
	des Hotels	der Hotels

Das ist leider etwas kompliziert. In der Praxis wird man die gebeugte Form selber wahrscheinlich lieber umgehen. Dennoch ist es gut, wenigstens die Endungen schon einmal gesehen zu haben.

Beugung von Eigennamen

Im Rumänischen können (wie auch im Deutschen) Eigennamen gebeugt werden. Außerdem tritt die Besonderheit auf, dass hier zwei zusätzliche Fälle unterschieden werden, und zwar der 4. Fall (Wenfall oder Akkusativ) und der Vokativ. Im Vokativ stehen alle Namen oder Bezeichnungen, mit denen man eine Per-

șaizeci și cinci | 65

Beugung der Hauptwörter

son anreden kann. Eine Frau, die Maria heißt, sollte sich deshalb nicht allzu sehr wundern, wenn sie auf einmal den Namen Mario erhält, wenn sie gerufen oder angesprochen wird:

	männlich	**weiblich**
Grundform	**Emil**	**Maria**
wessen?, wem?	**lui Emil** des/dem Emil	**Mariei** der/der Maria
wen?	**pe Emil** den Emil	**pe Maria** die Maria
Vokativ	**Emile!** Emil!	**Mario!** Maria!

Einige männliche Hauptwörter können ebenfalls den Vokativ bilden:

Grundform	**domn** Herr	**prieten** Freund
Vokativ	**domnule!** mein Herr!	**prietene!** Freundchen!

„Zusammengesetzte" Hauptwörter

„Zusammengesetzte" Hauptwörter

Zusammengesetzte Hauptwörter werden im Rumänischen anders gebildet als im Deutschen. Ein wichtiger Unterschied ist außerdem, dass sie nicht wie im Deutschen zusammengeschrieben werden. „Zusammensetzungen" werden gewöhnlich mit dem gebeugten Fall oder durch Verhältniswörter, meistens mit de (von), ausgedrückt:

Beachten Sie: Werden im Rumänischen Hauptwörter durch andere Hauptwörter näher beschrieben (ergänzt), entstehen Wortgruppen, die der Einfachheit halber als „zusammengesetzt" bezeichnet werden, auch wenn sie nicht wie im Deutschen zusammengeschrieben werden.

harta ora**ş**ului
Karte-die Stadt-des
der Stadtplan

carne de porc
Fleisch von Schwein
Schweinefleisch

Bei „zusammengesetzten" Hauptwörtern ist eine Besonderheit der rumänischen Sprache zu beachten: Wenn das „zusammengesetzte" Hauptwort mit dem unbestimmten Artikel steht, wird vor das Grundwort der Zusammensetzung (hier zum Beispiel oraşului) ein zusätzlicher besitzanzeigender Artikel gestellt.

un tur **al** ora**ş**ului
ein Rundfahrt des Stadt-des
eine Stadtrundfahrt

turul ora**ş**ului
Rundfahrt-der Stadt-des
die Stadtrundfahrt

Die besitzanzeigenden Artikel lauten:

	Einzahl		**Mehrzahl**	
männlich	**al**	des	**ai**	der
weiblich	**a**	der	**ale**	der
sächlich	**al**	des	**ale**	der

şaizeci şi şapte | **67**

Zahlen & Zählen

Zahlen & Zählen

Die Grundzahlen 1, 2 und 12 haben verschiedene Formen: Bei männlichen und sächlichen Hauptwörtern verwendet man die Formen un (ein), doi (zwei) und doisprezece (zwölf), bei weiblichen Hauptwörtern die Formen o (eine), două (zwei) und douăsprezece (zwölf); unu bedeutet jedoch stets „eins" undună „eine".

Grundzahlen

0	zero	5	cinci
1	unu,/una, un/o	6	șase
2	doi, două	7	șapte
3	trei	8	opt
4	patru	9	nouă

10	zece	15	cincisprezece
11	unsprezece	16	șaisprezece
12	doisprezece,	17	șaptesprezece
	douăsprezece	18	optsprezece
13	treisprezece	19	nouăsprezece
14	paisprezece		

Die Grundzahlen 100 und 1000 sind immer weiblich.

20	douăzeci	80	optzeci
30	treizeci	90	nouăzeci
40	patruzeci	100	o sută
50	cincizeci	200	două sute
60	șaizeci	1000	o mie
70	șaptezeci	2000	două mii

68 | șaizeci și opt

Zahlen & Zählen

un hotel	**o cameră**
ein Hotel	ein Zimmer
doi studenți	**două camere**
zwei Studenten	zwei Zimmer
doisprezece fii	**douăsprezece case**
zwölf Söhne	zwölf Häuser

Ab der Grundzahl 20 muss zusätzlich das Verhältniswort de (von) vor das Hauptwort gestellt werden.

nouăsprezece case
neunzehn Häuser
neunzehn Häuser

douăzeci și cinci de case
zwanzig und fünf von Häusern
fünfundzwanzig Häuser

zusammengesetzte Zahlen

Bei der Reihenfolge zusammengesetzter Zahlen muss man beachten, dass die Einerzahlen (1, 2, 3 usw.) mit dem Bindewort și (und) an den Schluss der Zusammensetzung gestellt werden.

Anders als im Deutschen werden im Rumänischen nur die Zehnerzahlen und die Zahlen 11-19 zusammengeschrieben.

patruzeci și cinci
vierzig und fünf
fünfundvierzig

șaizeci și nouă | **69**

Zahlen & Zählen

trei sute patruzeci și cinci
drei hundert vierzig und fünf
dreihundertfünfundvierzig

o mie nouă sute nouăzeci și nouă
eine tausend neun hundert neunzig und neun
eintausendneunhundertneunundneunzig
(1999)

Ordnungszahlen

Die Ordnungszahlen (z. B. 1., 2., 3. usw.) besitzen männliche/sächliche und weibliche
Formen. Die männlichen und sächlichen
Ordnungszahlen haben stets die Endung -lea
und bekommen zusätzlich den Artikel al vorangestellt; die weiblichen Ordnungszahlen
bekommen den Artikel a vorangestellt und
haben die Endung -a. Ausnahmen bilden nur
die Ordnungszahlen primul (der erste) und
prima (die erste).

primul	der erste	**prima**	die erste
al doilea	der zweite	**a doua**	die zweite
al treilea	der dritte	**a treia**	die dritte
al patrulea	der vierte	**a patra**	die vierte

Zusammengesetzte Ordnungszahlen werden in einem Wort geschrieben.

al douăzecișicincelea der 25.
a douăzecișicincea die 25.

70 | șaptezeci

Mengenangaben

Bei Mengenangaben wird gewöhnlich das Verhältniswort de (von) verwendet.

un kilogram de roșii
ein Kilo von Tomaten
ein Kilo Tomaten

un litru de lapte
ein Liter von Milch
ein Liter Milch

o sută de grame
eine hundert von Gramm
hundert Gramm

o duzină
eine Dutzend
ein Dutzend

un pahar de bere
ein Glas von Bier
ein Glas Bier

o sticlă de vin
eine Flasche von Wein
eine Flasche Wein

bucată	Stück
mult	viel
puțin	wenig
mai puțin	weniger
cel puțin	wenigstens
cutie	Schachtel
tot	alles
destul	genug
atât	soviel
mai mult	mehr

Zeit, Uhrzeit & Datum

Hier zunächst die wichtigsten allgemeinen Zeitangaben bzw. Zeitabschnitte.

allgemeine Zeitangaben

oră	Stunde
minută	Minute
secundă	Sekunde
lună	Monat
săptămână	Woche
an (m)	Jahr
zi (w)	Tag
acum	jetzt
mai devreme	früher
curând	später
dimineața	vormittags
după masă	nachmittags
seara	abends
azi	heute
ieri	gestern
alaltăieri	vorgestern
mâine	morgen
poimâine	übermorgen
mai târziu	bald
deja	schon

acum trei luni	vor drei Monaten
peste patru ani	in vier Jahren
de o săptămână	seit einer Woche

Zeit, Uhrzeit & Datum

Uhrzeit

Cât e ceasul?
wie viel ist Uhr-das
Wie viel Uhr ist es?

Este ora una/două/cinci.
(es-)ist Stunde-die ein (w)/zwei (w)/fünf
Es ist ein/zwei/fünf (auch 17) Uhr.

Achtung: Da ora (Uhr, Stunde) ein weibliches Hauptwort ist, muss man immer die weiblichen Formen der Grundzahlen 1, 2 und 12 verwenden (auch in Zusammensetzungen)!

La ce oră ...?
bei was Stunde ...
Um wieviel Uhr ...?

La ora ...
bei Stunde-die ...
Um ... Uhr

Die Minuten, Viertelstunden und halbe Stunden werden folgendermaßen ausgedrückt: Für die erste halbe Stunde benutzt man stets das Wort și (und), für die zweite halbe Stunde das Wort fără (ohne).

nouă și douăzeci și trei
neun und zwanzig und drei
neun Uhr dreiundzwanzig

șapte și jumătate
sieben und Hälfte
sieben Uhr dreißig

opt și un sfert
acht und ein Viertel
Viertel nach acht

șaptezeci și trei | 73

Zeit, Uhrzeit & Datum

nouă fără cinci **nouă fără un sfert**
neun ohne fünf *neun ohne ein Viertel*
fünf vor neun Viertel vor neun

Wochentage

Die Wochentage (zilele săptămânii) lauten:

luni	Montag
marți	Dienstag
miercuri	Mittwoch
joi	Donnerstag
vineri	Freitag
sâmbătă	Sonnabend
duminică	Sonntag
zi de sărbătoare	Feiertag
Tag von Fest	

Monate

Die Monate (luni) heißen:

ianuarie	Januar
februarie	Februar
martie	März
aprilie	April
mai	Mai
iunie	Juni
iulie	Juli
august	August
septembrie	September
octombrie	Oktober
noiembrie	November
decembrie	Dezember

Zeit, Uhrzeit & Datum

Datum

Nach dem Datum fragt und antwortet man wie in den folgenden Sätzen:

Eine andere Variante, um nach dem Datum zu fragen, ist
În câte e (azi)?

În cât avem azi?
in wieviel (wir-)haben heute
Der Wievielte ist heute?

În șapte ianuarie.
in sieben Januar
Der 7. Januar.

Jahreszeiten

Die Jahreszeiten (anotimpuri) werden genannt:

primăvară	Frühling
vară	Sommer
toamnă	Herbst
iarnă	Winter

Feiertage

Feiertage (sărbători) sind:

Crăciun	Weihnachten
Paști	Ostern
Rusalii	Pfingsten
Anul nou *Jahr-das neu*	Neujahr

șaptezeci și cinci | 75

© Dominik Klaus@Fotolia.com

Der Balea Gletschersee im Fogarasch Gebirge (Südkarpaten)

Kurz-Knigge

Seien Sie nie überheblich! Die Rumänen haben es auf wirtschaftlicher Ebene immer noch schwer, auch wenn seit dem Zusammenbruch der kommunistischen Diktatur viele Jahre vergangen sind. Sie sind sich ihrer Armut bewusst, deshalb verletzt sie Überheblichkeit oder gar Angeberei. Dennoch sind Rumänen technisch gut ausgebildet; beeindruckend ist, dass sie oft mehrere Fremdsprachen beherrschen.

Üben Sie sich in Geduld, wenn's auch manchmal schwer fällt. Rumänen können unpünktlich sein. Gewöhnlich aber kommen sie mit höchstens einer Viertelstunde Verspätung, die sie sfertul academic (akademische Viertelstunde) nennen. Dabei müssen sie nicht immer selbst schuld sein. Öffentliche Verkehrsmittel sind nicht besonders zuverlässig. Auch in Gaststätten oder bei Behörden sollte man sich mit Geduld wappnen.

Selbst wenn es im Sommer sehr heiß sein kann, ziehen Sie sich bitte dezent an. Männer mit nacktem Oberkörper oder Frauen im Bikini werden nicht gerne auf der Straße gesehen. Besonders missbilligen Rumänen es, wenn man in dieser Aufmachung eine Kirche oder ein Kloster besucht.

Seien Sie großzügig, aber nicht großspurig! Sollte Ihnen ein Rumäne einen Dienst erweisen oder gar etwas schenken, revanchie-

șaptezeci și șapte | 77

Anrede

Frauen (besonders älteren) gegenüber sollte man stets sehr höflich sein. Das wird hoch angerechnet. ren Sie sich entsprechend! Gern gesehen sind ausländische Erzeugnisse, wie Kugelschreiber, Kaffee, Zigaretten oder alkoholische Getränke. Decken Sie sich also vor Ihrer Reise mit Geschenken ein, die stets willkommen sind.

Anrede

Wenn man den Namen nicht kennt, spricht man fremde Personen wie folgt an:

domnule	mein Herr
doamna	meine Dame
domnișoara	mein Fräulein

Kennt man den Namen des Angesprochenen, verwendet man die bestimmte Form:

domnu' Ionescu	Herr Ionescu
doamna Popescu	Frau Popescu
domnișoara Olaru	Fräulein Olaru

Um jemanden zu siezen, verwendet man die 2. Person Mehrzahl (ihr), so als wollte man mehrere Personen ansprechen, die man duzt:

veniți
(ihr-)kommt
ihr kommt/Sie kommen/kommen Sie!

78 șaptezeci și opt

Begrüßen & Verabschieden

Jugendliche begrüßen sich gewöhnlich mit salut! (heißt sowohl „hallo!" als auch „tschüss!"). In Bukarest ist auch pa-pa (tschüss!) gebräuchlich.

Bună dimineața!	Guten Morgen!
Bună ziua!	Guten Tag!
Bună seara!	Guten Abend!
Salut!	Hallo!
La revedere!	Auf Wiedersehen!
Cu bine!	Leben Sie wohl!
mit gut	
Călătorie plăcută!	Gute Reise!
Reise angenehme	
Salut!/Pa-pa!	Tschüss!

Bitten, Danken, Wünschen

Hier die wichtigsten Höflichkeitsfloskeln, die man parat haben sollte.

Vă rog!
Euch (ich-)bitte
Bitte!

Poftiți!
(Ihr-)bittet
Bitte sehr!

Mulțumesc!
(ich-)danke
Danke!

Mulțumesc frumos!
(ich-)danke schön
Danke schön!

Bitten, Danken, Wünschen

Vă rog, daţi-mi un pahar de apă!
Euch (ich-)bitte, gebt-mir ein Glas von Wasser
Geben Sie mir bitte ein Glas Wasser!

Spuneţi-mi, vă rog!
sagt-mir, Euch (ich-)bitte
Sagen Sie mir, bitte!

Permiteţi-mi, vă rog!
erlaubt-mir, Euch (ich-)bitte
Gestatten Sie bitte!

Petrecere frumoasă! **Călătorie plăcută!**
Unterhaltung schöne   *Reise angenehme*
Gute Unterhaltung!   Gute Reise!

Felicitări!
Glückwünsche
Herzlichen Glückwunsch!

Te/Vă felicit!
dich/Euch (ich-)beglückwünsche
Ich beglückwünsche dich/Sie!

Floskeln & Redewendungen

Vielleicht haben Sie jetzt schon Mut gefasst und reden einfach einen Passanten auf Rumänisch an.

anreden

Fiți amabil, unde este stația de autobuz?
seid freundlich, wo (er-/sie/-es-) ist Haltestelle-die von Bus
Seien Sie so freundlich, wo ist die Bushaltestelle?

Scuzați, unde se află un restaurant bun?
entschuldigt, wo sich (es-)befindet ein Restaurant gut
Entschuldigen Sie, wo befindet sich ein gutes Restaurant?

das erste Gespräch

Man wird sicherlich erkennen, dass Sie Ausländer sind. Dabei kann sich folgendes Gespräch ergeben:

Sunteți străin/ă? *Da, sunt.*
(Ihr-)seid Ausländer/in *ja, (ich-)bin*
Sind Sie Ausländer/in? Ja, bin ich.

Cum vă cheamă?
wie Euch (er-/sie-/es-)ruft
Wie heißen Sie?

optzeci și unu | **81**

Floskeln & Redewendungen

Care este numele tău/dumneavoastră?
welcher (er-/sie-/es-) ist Name-der dein/Sie
Wie ist dein/Ihr Name?

Pot să vă prezint pe soțul meu / soția mea?
(ich-)kann dass Euch (ich-)vorstelle auf
Mann-der mein / Frau-die meine
Darf ich Ihnen meinen Mann /
meine Frau vorstellen?

Acesta este prietenul meu.
dieser (er-/sie-/es-) ist Freund-der mein
Das ist mein Freund.

Aceasta este prietena mea.
diese (er-/sie-/es-) ist Freundin-die meine
Das ist meine Freundin.

De unde sunteți? **Sunt din Germania.**
von wo (Ihr-)seid *(ich-)bin von Deutschland*
Woher sind Sie? Ich bin aus Deutschland.

Austria	Österreich	**Elveția**	Schweiz
Olanda	Holland	**Suedia**	Schweden

Sich entschuldigen

N-a fost intenția mea. **Îmi pare rău.**
nicht-(es-)hat gewesen *mir (es-)scheint schlecht*
meine Absicht meine Es tut mir Leid.
Es war nicht meine
Absicht.

82 | optzeci și doi

Floskeln & Redewendungen

🎝 **Vă rog să mă scuzați!**
Euch (ich-)bitte dass mich entschuldigt
Entschuldigen Sie bitte!

Befinden

🎝 **Ce mai faci/faceți?**
was noch (du-)machst/(Ihr-)macht
Wie geht es dir/Ihnen?

Normalerweise antwortet man mit:

Mulțumesc, bine / nu prea bine / excelent!
(ich-)danke, gut / nicht sehr gut / ausgezeichnet
Danke, gut / nicht sehr gut / ausgezeichnet!

🎝 **Sunt bolnav/ă / răcit/ă.**
(ich-)bin krank(m/w) / erkältet(m/w)
Ich bin krank/erkältet. (sagt Mann/Frau)

🎝 **Mi-e foame/sete.**
mir-ist Hunger/Durst
Ich habe Hunger/Durst.

🎝 **Nu mă simt bine.**
nicht mich (ich-)fühle gut
Ich fühle mich nicht wohl.

🎝 **Nu-mi merge bine.**
nicht-mir (es-)geht gut
Es geht mir nicht gut.

optzeci și trei | **83**

Floskeln & Redewendungen

Cred că sunt boln_a_v/ă.
(ich-)glaube dass (ich-)bin krank(m/w)
Ich glaube, ich bin krank. (sagt Mann/Frau)

sich freuen/ärgern

Mă b_u_cur.
mich (ich-)freue
Ich freue mich.

Sunt feric_i_t/ă.
(ich-)bin glücklich(m/w)
Ich bin glücklich.

Sunt supăr_a_t/ă.
(ich-)bin verärgert(m/w)
Ich bin verärgert.

Sunt furi_o_s/furio_a_să.
(ich-)bin wütend(m/w)
Ich bin wütend.

auffordern

Aș_t_e_a_ptă, te r_o_g / Aște_p_tați, vă r_o_g, un mom_e_nt!
warte, dich (ich-)bitte / wartet, Euch (ich-)bitte, ein Moment
Warte/Warten Sie bitte einen Augenblick!

Ar_a_tă-mi ...!
zeig-mir ...
Zeig mir ...!

Arăt_a_ți-mi ...!
zeigt-mir ...
Zeigen Sie mir ...!

D_ă_-mi ...!
gib-mir ...
Gib mir ...!

Dați-mi ...!
gebt-mir ...
Geben Sie mir ...!

Aj_u_tă-mă!
hilf-mir
Hilf mir!

Ajut_a_ți-mă!
helft-mir
Helfen Sie mir!

Dest_u_l!
genug
Genug!

84 optzeci și p_a_tru

Floskeln & Redewendungen

zustimmen/ablehnen

🔊 **Da, bine.**
ja, gut
Ja, gut.

Nu, prost.
nein, schlecht
Nein, das geht nicht.

🔊 **Cu plăcere.**
mit Gefallen
Mit Vergnügen.

Bineînțeles.
selbstverständlich
Selbstverständlich.

🔊 **In nici un caz!**
in nicht ein Fall
Auf keinen Fall!

Nu se discută!
nicht sich (er-)diskutiert
Kommt nicht in Frage!

🔊 **Ai dreptate.**
(du-)hast Recht
Du hast Recht.

Aveți dreptate.
(Ihr-)habt Recht
Sie haben Recht.

🔊 **N-ai dreptate.**
nicht-(du-)hast Recht
Du hast nicht Recht.

N-aveți dreptate.
nicht-(Ihr-)habt Recht
Sie haben nicht Recht.

🔊 **Îmi place.**
mir (es-)gefällt
Es gefällt mir.

Nu-mi place.
nicht-mir (es-)gefällt
Es gefällt mir nicht.

🔊 **(Nu) știu.**
(nicht) (ich-)weiß
Ich weiß es (nicht).

(Nu) vreau.
(nicht) (ich-)will
Ich möchte (nicht).

🔊 **Sunt foarte mulțumit/ă.**
(ich-)bin sehr zufrieden(m/w)
Ich bin sehr zufrieden. (sagt Mann/Frau)

optzeci și cinci | **85**

Floskeln & Redewendungen

Manchmal reicht wie im Deutschen eine verneinende Partikel (hier ne- oder im-) aus, um die Aussage negativ zu formulieren.

Sunt foarte nemulțumit/ă.
(ich-)bin sehr unzufrieden(m/w)
Ich bin sehr unzufrieden. (sagt Mann/Frau)

Este posibil.   **Este imposibil.**
(es-)ist möglich   *(es-)ist unmöglich*
Es ist möglich.   Es ist unmöglich.

Sunt de acord.
(ich-)bin von Einverständnis
Ich bin einverstanden.

Nu sunt de acord.
nicht (ich-)bin von Einverständnis
Ich bin nicht einverstanden.

überrascht sein

Ce surpriză!   **Într-adevăr?**
was Überraschung   *in-Wirklichkeit*
Was für eine Überraschung! Wirklich?

N-am știut.
nicht-(ich-)habe gewusst
Das habe ich nicht gewusst.

Nu m-am așteptat la aceasta.
nicht mich-(ich-)habe gewartet zu diese
Damit habe ich nicht gerechnet.

86 | optzeci și șase

Floskeln & Redewendungen

beurteilen

🖝 **Aceasta este ...**
diese(w,Ez) (es-)ist ...
Das ist ...

incredibil	unglaublich
îngrozitor	schrecklich
plăcut	angenehm
plicticos	langweilig
bine	gut
frumos	schön
în regulă	in Ordnung
imposibil	unmöglich
haios	lustig
drăguț	hübsch
fantastic	phantastisch
prost	schlecht
urât	hässlich
grozav	toll

Sympathie

🖝 **Ești foarte drăguț/ă / simpatic/ă.**
(du-)bist sehr nett(m/w)/sympathisch(m/w)
Du bist sehr nett/sympathisch.

🖝 **Aveți o familie drăguță.**
(Ihr-)habt eine Familie nette
Sie haben eine nette Familie.

🖝 **Sunteți foarte amabil cu mine.**
(Ihr-)seid sehr freundlich mit mir
Sie sind sehr freundlich zu mir.

Verwenden Sie die männliche Form des Eigenschaftswortes, wenn mit „du" eine männliche Person angesprochen wird, und die weibliche Form für eine weibliche Person!

optzeci și șapte | **87**

Übernachten

Übernachten

Gewöhnlich wird in größeren Hotels Deutsch gesprochen. Sollte das nicht der Fall sein, kommt man mit Französisch oder Englisch weiter. Aber Sie wollen ja Rumänisch sprechen!

im Hotel	
Aveți ...	Haben Sie ...?
(Ihr-)habt ...	
Aș dori ...	Ich möchte ...
(ich-)habe wünschen ...	
Am dori ...	Wir möchten ...
(wir-)haben wünschen ...	

o cameră liberă	ein freies Zimmer
eine Zimmer freie	
o cameră single	ein Einzelzimmer
eine Zimmer einzelne	
o cameră dublă	ein Doppelzimmer
eine Zimmer doppelte	
pentru o noapte	für eine Nacht
für eine Nacht	
pentru trei nopți	für drei Nächte
für drei Nächte	

Cât costă o noapte?
wie viel (er-/sie-/es-) kostet eine Nacht
Wie viel kostet eine Übernachtung?

88 | optzeci și opt

Übernachten

- **Cât doriți să rămâneți?**
  wieviel (Ihr-)möchtet dass (Ihr-)bleibt
  Wie lange möchten Sie bleiben?

- **Micul dejun este inclus în preț?**
  klein-das Mittagessen (es-)ist inbegriffen in Preis
  Ist das Frühstück im Preis inbegriffen?

- **Unde este toaleta/baia?**
  wo (er-/sie-/es-) ist Toilette-die/Bad-die
  Wo ist die Toilette/das Bad?

- **Puteți să mă treziți la ora ...**
  (Ihr-)könnt dass mich (Ihr-)weckt um Stunde ...
  Können Sie mich um ... Uhr wecken?

Lipsește ...	Es fehlt ...
pat (s)	ein Bett
pătură	eine Decke
pernă	ein Kissen
apă caldă	Warmwasser
săpun	Seife
cearșaf (s)	ein Laken
hârtie igienică	Klopapier
plapumă	eine Steppdecke
apă rece	Kaltwasser
un prosop	ein Handtuch
cheia	der Schlüssel

privat

Neuerdings ist es für Touristen wieder erlaubt, privat zu wohnen. Anschriften von Pri-

Übernachten

vatquartieren sollte man sich am besten vom Reisebüro oder in einem Hotel geben lassen. In Bukarest, an der Schwarzmeerküste oder in Kurorten wird man oft auf den Bahnhöfen angesprochen, ob man ein Privatzimmer mieten möchte. Man sollte sich die Leute jedoch genau ansehen.

Doriți o cameră?
(Ihr-)wünscht eine Zimmer
Möchten Sie ein Zimmer?

Doresc/dorim o cameră pentru o săptămână.
(ich-)wünsche/(wir-)wünschen eine Zimmer für eine Woche
Ich möchte/Wir möchten ein Zimmer für eine Woche.

Pot să folosesc baia dumneavoastră?
(ich-)kann dass (ich-)benutze Bad-die Sie
Darf ich Ihr Bad benutzen?

Pot să gătesc pentru mine?
(ich-)kann dass (ich-)koche für mich
Darf ich für mich kochen?

Camping

Camping- und Zeltplätze gibt es überall in der Nähe größerer Städte, in Urlaubsgebieten, Kur- und Badeorten. Wildes Zelten ist grundsätzlich nicht verboten, doch gibt es Gegenden, in denen es nicht gestattet ist. Diese sind

Übernachten

ausgeschildert: Campare interzisă (Zelten verboten). Allerdings sollte man es vermeiden, in abgeschiedener Natur zu zelten. Am besten fragt man in der Ortschaft, ob man auf einem Grundstück sein Zelt aufbauen darf. Dafür wird natürlich ein Entgelt verlangt.

🎵 **Unde se află următorul camping?**
wo sich (er-)befindet nächster-der Campingplatz
Wo befindet sich der nächste Campingplatz?

🎵 **Pot să-mi montez cortul în curtea dumneavoastră?**
(ich-)kann dass-mir (ich-)montiere Zelt-das in Hof-die Sie
Kann ich mein Zelt auf Ihrem Hof aufbauen?

🎵 **Pot să mă spăl la dumneavoastră?**
(ich-)kann dass mich (ich-)wasche bei Sie
Kann ich mich bei Ihnen waschen?

🎵 **Pot să mă duc la toaleta?**
(ich-)kann dass mich (ich-)gehe zu Toilette
Kann ich zur Toilette gehen?

🎵 **Unde pot să spăl niște ciorapi/șosete?**
wo (ich-)kann dass (ich-)wasche einige Strümpfe/ Socken
Wo kann ich einige Strümpfe/Socken waschen?

nouăzeci și unu | **91**

Essen & Trinken

Hier die wichtigsten Bezeichnungen für Restaurants, Imbisse und Cafés in Rumänien:

Bufet Bufet heißen die Dorfkneipen. Hier trifft man das einfache Volk und kann leicht ein Gespräch anknüpfen. Oft wird man als Ausländer zu einem Umtrunk eingeladen. Doch sollte man nie vergessen, selbst auch eine Runde zu zahlen.

Bufet expres Bufet expres sind Selbstbedienungsgaststätten, wo man recht preiswert essen kann. Leider ist die Auswahl und Qualität der Speisen gering. Satt wird man aber auf jeden Fall.

Rotiserie, Snack-bar Rotiserie, Snack-bar sind Imbissstuben, in denen man Gegrilltes bekommt.

Lacto-vegetarian Lacto-vegetarian heißen kleine Lokale, in denen man einfache Gerichte wie Rührei, überbackenen Käse, vegetarische Gerichte und – man lese und staune! – auch Fleischgerichte bekommt. Diese Gaststätten sind sehr preiswert und gewöhnlich sehr sauber. Für das Frühstück oder leichte Abendessen sehr zu empfehlen.

Cramă Wer einen guten Wein trinken will, geht in die Cramă genannte Weinstube. Hier gibt es auch Grillgerichte, und gewöhnlich spielt eine Kapelle (taraf) rumänische Volksmusik. Dabei kann es vorkommen, dass der Solist zu einem Gast geht und ihm la ureche (am Ohr) spielt, wofür er eine Belohnung erwartet.

92 | nouăzeci și doi

Essen & Trinken

In der Cofetărie (Konditorei) werden neben Kuchen auch Kaffee, Tee und Erfrischungsgetränke angeboten. Der Kaffee wird nach türkischer Art (cafea turcească) gekocht und ist sehr süß. Die Rumänen sind der Meinung, dass er schwarz wie der Teufel, heiß wie die Hölle und süß wie die Liebe sein muss! Die Kuchen sind ebenfalls sehr süß und mit viel Creme angemacht. Es gibt aber auch Kuchen mit Sahne oder Früchten. In den Konditoreien wird oft ein Frühstück zum Pauschalpreis angeboten.

Cofetărie

o cafea	ein Kaffee
două cafele	zwei Kaffee
cu zahărul separat	mit separatem Zucker
mit Zucker-der separat	
cafea fără zahăr	Kaffee ohne Zucker
un mic dejun	ein Frühstück
ein klein Mittagessen	
o bucată de prăjitură	ein Stück Kuchen
ein Stück von Kuchen	

Restaurant

In größeren Gaststätten wird gewöhnlich Deutsch gesprochen. In vielen Restaurants spielt am Abend eine Kapelle. Wichtig: Viele Gaststätten schließen bereits um 22 Uhr, kleinere noch früher. Die letzte Bestellung wird eine halbe Stunde vor Geschäftsschluss entgegengenommen.

nouăzeci și trei 93

Essen & Trinken

Aveți două locuri libere?
(Ihr-)habt zwei(w) Plätze freie
Haben Sie zwei Plätze frei?

Aduceți-mi, vă rog, lista de bucate!
bringt-mir, Euch (ich-)bitte, Liste von Essen
Bringen Sie mir bitte die Speisekarte!

șefule, nota de plată, vă rog!
Chef, Notiz von Zahlung, Euch (ich-)bitte
Ober, die Rechnung, bitte!

In größeren Gaststätten wird ein 10-15prozentiger Bedienungszuschlag erhoben. Trotzdem sollte man den Ober stets mit einem angemessenen bacșiș (Trinkgeld) bedenken. Was „angemessen" ist, hängt von einem selbst ab, man sollte jedoch nicht zu geizig sein.

Aș vrea ...   **Lipsește ...**
(ich-)habe mögen ...   *(es-)fehlt ...*
Ich hätte gerne ...   Es fehlt ...

cina	Abendbrot
oțet	Essig
sticlă	Flasche
mic dejun	Frühstück
furculiță	Gabel
pahar (s)	Glas
felul doi	das Hauptgericht
usturoi	Knoblauch
lingură	Löffel
cuțit (s)	Messer

Essen & Trinken

dejun (s)	Mittagessen
desert (s)	Nachtisch
boia	Paprikapulver
piper	Pfeffer
sare	Salz
solniță	Salzfass
șervețel (s)	Serviette
ulei	Speiseöl
ceașcă	Tasse
linguriță	Teelöffel
farfurie (w)	Teller
zahăr	Zucker

acru	sauer
amar	bitter
dulce	süß
iute	scharf
mai iute	schärfer
fiert	gekocht
înăbușit	gedünstet
prăjit	gebraten
proaspăt	frisch
bine prăjit	durchgebraten

Nationalgerichte

Die Rumänen sind sehr stolz auf ihre Nationalgerichte. Dabei wissen sie meist nicht, dass diese keine typisch rumänischen Speisen sind, sondern – in Varianten – auf dem gesamten Balkan genossen werden. Landschaftlich gibt es große Unterschiede. Ich habe hier eine Auswahl der Nationalgerichte getroffen.

nouăzeci și cinci | **95**

Essen & Trinken

Suppen

Supă ist eine dem Deutschen geläufige Suppe mit Einlage, ciorbă ist eine säuerliche Suppe, die mit borș, einem gegorenen Kleiesaft, Zitronensaft oder Essig angesäuert ist.

supă cu fidea	Nudelsuppe
supă de fasole	Bohnensuppe
supă de legume	Gemüsesuppe
ciorbă de burtă	Kaldaunensuppe
ciorbă de legume	Gemüsesuppe
ciorbă de perișoare	Fleischkloßsuppe
ciorbă de pește	Fischsuppe
ciorbă de potroace	Hühnerkleinsuppe

fleischlos

cașcaval la capac **cașcaval pane**
überbackener Hartkäse panierter Hartkäse

Fleischgerichte

ardei umpluți	gefüllte Paprika
chiftele	Hackfleischbällchen
musaca	Mett mit Auberginen/Kartoffeln
mici, mititei	Metträllchen
pârjoale	Buletten
sarmale	Kohlrouladen mit Hackfleisch und Reis
varza a la Cluj	Sauerkraut mit Reis und Hackfleisch

Essen & Trinken

Salate

murături	eingesäuerte grüne Tomaten
salată de vinete	Auberginenmus
salată orientală	Salat mit Kartoffeln, Gemüse, Mayonnaise

Im Banat und in Siebenbürgen überwiegen ungarische, in der Moldau ukrainische und in der Muntenia sowie Dobrudscha türkische bzw. griechische Gerichte.

Für jene, die internationale Küche vorziehen, im Folgenden eine Liste gängiger Speisen:

Frühstück

unt	Butter	**cafea**	Kaffee
cașcaval	Hartkäse	**dulceață**	Konfitüre
salam	Hartwurst	**margarină**	Margarine
miere	Honig	**lapte**	Milch
iaurt	Jogurt	**șuncă**	Schinken

Mittag- & Abendessen

carne de batal	Hammelfleisch
carne de miel	Lammfleisch
carne de porc	Schweinefleisch
carne de vită	Rindfleisch
carne de vițel	Kalbfleisch
grătar	Gegrilltes
cârnați	Bratwurst
pui	Hühnchen
ficat	Leber
limbă	Zunge
merluciu	Seelachs
crap	Karpfen

nouăzeci și șapte | 97

Essen & Trinken

păstrăv	Forelle
cartofi prăjiți	Pommes frites
cartofi natur	Pellkartoffeln
ciuperci	Pilze
orez	Reis
salată verde	Kopfsalat
salată de roșii	Tomatensalat
casată	Pücklereis
înghețată	Eis
parfe	Parfait
fructe	Obst
prăjitură	Kuchen
tort	Torte

98 | nouăzeci și opt

Essen & Trinken

Getränke

Rumänien ist ein Weinland. Die rumänischen Weine zeichnen sich durch fruchtigen Geschmack und ein ausgeprägtes Buquet aus. Zu den wichtigsten Traubensorten gehören: Königliche Mädchentraube (Fetească regală), Riesling, Sauvignon, Chardonay, Cabernet und Aligoté. Herbe Weißweine kommen aus: Odobești, Drăgășani, Huși, Panciu, Dealu Mare, Târnave. Herbe Rotweine stammen aus: Nicorești, Murfatlar, Valea Călugărească. Als scharfes Nationalgetränk gilt der țuica genannte Pflaumenschnaps. Aber auch rachiu (Traubenbranntwein) wird gerne getrunken.

o țuică mică (50 g)	
eine Pflaumenschnaps klein	
o țuică mare (100 g)	
eine Pflaumenschnaps groß	
un pahar de țuică (200 g)	
ein Wasserglas von Pflaumenschnaps	

Bei hochprozentigen Getränken wird stets in Gramm gerechnet.

bere (w)	Bier
rom (s)	Rum
lichior (s)	Likör
vodcă	Wodka
apă minerală	Mineralwasser
citronadă	Limonade
orangeadă	Orangensaft
suc (s)	Fruchtsaft
ceai	Tee
cafea	Kaffee

nouăzeci și nouă | 99

Zu Gast sein

Sind Sie von rumänischen Bekannten eingeladen worden, dann ist es unerlässlich, ein Geschenk mitzubringen. Wenn man für die Dame des Hauses zudem noch einen Blumenstrauß dabei hat, kann man sicher sein, dass man sofort herzlichst aufgenommen wird.

Aş vrea un buchet de trandafiri/garoafe/lalele.
(ich-)habe wollen ein Strauß von Rosen/Nelken/Tulpen
Ich hätte gern einen Strauß Rosen/Nelken/Tulpen. (beim Kauf)

Die Rumänen sind überaus gastfreundlich. Sie setzen ihren Gästen alles vor, was ihre meist ärmliche Vorratskammer (Kühlschränke sind auf dem Land eine Seltenheit) zu bieten hat.

Die Höflichkeit erfordert es, dass man zunächst alles Angebotene ablehnt.

Nu vă deranjați!
nicht Euch stört
Bemühen Sie sich nicht!

Erst bei der zweiten Aufforderung sollte man zugreifen. Dabei sollte man allerdings nicht vergessen, dass wahrscheinlich alle Vorräte der Familie auf dem Tisch stehen! Wenn man wirklich nicht mehr weiteressen möchte, kann man dies mit folgendem Satz ausdrücken:

100 | o sută

Zu Gast sein

Îmi pare rău. Mulțumesc mult, dar sunt sătul.
mir (es-)scheint schlecht. (ich-)danke viel, aber (ich-)bin satt
Es tut mir Leid. Vielen Dank, aber ich bin satt.

Es ist üblich, dass Kaffee mit einem Glas Wasser auf den Tisch kommt, auf dem Land auch hausgemachte Konfitüre (dulceață). Früher trank man auch Ersatzkaffee, denn echter Kaffee (cafea naturală) war oft Mangelware und überdies teuer. Werden Getränke kredenzt – gewöhnlich țuica (Pflaumenschnaps) oder rachiu (Klarer) – darf man auf keinen Fall mit „Prosit" oder noch schlimmer mit „Prost" anstoßen, da letzteres Wort auf Rumänisch „doof" bedeutet. Richtig sagt man noroc (Glück) oder la mulți ani (auf viele Jahre = du mögest noch viele Jahre leben).
   Während des Besuchs kann sich folgendes Gespräch ergeben:

Permiteți-mi, soția mea / soțul meu.
gestattet-mir, Gattin-die meine/Gatte-der mein
Darf ich Ihnen meine Gattin / meinen Gatten vorstellen?

Îmi pare bine.   **Și mie.**
mir (es-)scheint gut   *auch mir*
Es freut mich.   Ganz meinerseits.

Sunteți german/ă?
(Ihr-)seid Deutscher/Deutsche
Sind Sie Deutscher/Deutsche?

o sută unu 101

Zu Gast sein

Nu, sunt austriac/ă / elvețian/ă.
nein, (ich-)bin Österreicher/in / Schweizer/in
Nein, ich bin Österreicher/in / Schweizer/in.

Dar vorbiți bine românește!
aber (Ihr-)sprecht gut rumänisch
Aber Sie sprechen gut Rumänisch!

Nu vorbesc decât un pic / puțin.
nicht (ich-)sprechen als ein bisschen / wenig
Ich spreche bloß ein bisschen / ein wenig.

Sunteți de mult în România?
(Ihr-)seid von viel in Rumänien
Sind Sie schon lange in Rumänien?

De câteva zile/săptămâni/luni.
Seit einigen Tagen/Wochen/Monaten.

Vă place țara noastră?
Euch (es-)gefällt Land-das unsere
Gefällt Ihnen unser Land?

Da, îmi place foarte mult.
ja, mir (es-)gefällt sehr viel
Ja, es gefällt mir sehr.

Mai stați mult în România?
noch (Ihr-)steht viel in Rumänien
Bleiben Sie noch lange in Rumänien?

Nu, doar patru zile/o săptămână.
Nein, nur vier Tage/eine Woche.

102 | o sută doi

Zu Gast sein

🎲 **Da, încă două săptămâni / o lună.**
Ja, noch zwei Wochen / einen Monat.

🎲 **Vă arăt casa.**
Euch (ich-)zeige Haus-die
Ich zeige Ihnen das Haus.

hol	Diele
casă	Haus
bucătărie	Küche
dormitor	Schlafzimmer
toaletă	Toilette
grajd	Viehstall
apartament	Wohnung
sufragerie	Wohnzimmer

Alter

🎲 **Câți ani aveți?**   **Am ... de ani.**
wie viele Jahre (Ihr-)habt (ich-)habe ... von Jahren
Wie alt sind Sie?   Ich bin ... Jahre alt.

Familie

bunic	Großvater	**bunică**	Großmutter
tatăl	Vater	**mamă**	Mutter
frate	Bruder	**soră**	Schwester
unchi	Onkel	**mătușă**	Tante
soț	Gatte	**soție**	Gattin
fiu	Sohn	**fiică**	Tochter
nepot	Enkel, Neffe	**nepoată**	Enkelin, Nichte

o sută trei | **103**

Zu Gast sein

Sunteți căsătorit/ă?
(Ihr-)seid verheiratet/e(m/w)
Sind Sie verheiratet?

Da, sunt. **Nu, nu-s.**
ja, (ich-)bin *nein, nicht-(ich-)bin*
Ja, bin ich. Nein, ich bin nicht.

Aveți copii? **Nu, încă n-am.**
(Ihr-)habt Kinder *nein, noch nicht-(ich-)habe*
Haben Sie Kinder? Nein, ich habe noch keine.

Da, am un băiat și o fată.
ja, (ich-)habe ein Junge und eine Mädchen(Ez)
Ja, ich habe einen Jungen und ein Mädchen.

Beruf

Ce profesie aveți? **Sunt șomer/ă.**
was Beruf (Ihr-)habt *ich-bin arbeitslos(m/w)*
Was sind Sie von Beruf? Ich bin arbeitslos.

Sunt ...	Ich bin ...
angajat	Angestellter
angajată	Angestellte
muncitor	Arbeiter
muncitoare	Arbeiterin
medic	Arzt
funcționar	Beamter
funcționară	Beamtin
electrician	Elektriker
inginer	Ingenieur
soră medicală	Krankenschwester

Zu Gast sein

agricultor	Landwirt
student	Student
studentă	Studentin
tehnician	Techniker
vânzător	Verkäufer
vânzătoare	Verkäuferin

bei Tisch

Serviți un pic de dulceață!
bedient ein bisschen von Konfitüre
Bedienen Sie sich ein bisschen von der Konfitüre!

Doriți o cafea?
(Ihr-)wünscht eine Kaffee
Möchten Sie einen Kaffee?

Nu, mulțumesc.   **Sunteți sigur/ă?**
nein, (ich-)danke   *(Ihr-)seid sicher(m/w)*
Danke, nein.   Wirklich nicht?

Ei da, dacă sunteți atât de amabil.
nun ja, wenn (Ihr-)seid so von freundlich
Nun ja, wenn Sie die Freundlichkeit haben.

Essen sollten Sie nie ausschlagen! Sie würden damit Ihre Gastgeber sehr kränken!

Serviți, vă rog!
bedient, Euch (ich-)bitte
Greifen Sie zu!

o sută cinci | **105**

Zu Gast sein

Da Rumäninnen ausgezeichnete Köchinnen sind (Ausnahmen bestätigen natürlich die Regel) und stundenlang am Kochherd stehen, um den Gästen aus Nichts etwas Gutes hervorzuzaubern, erwarten sie auch ein entsprechendes Lob!

Masa a fost foarte gustoasă/excelentă!
*Tisch-die (sie-)hat gewesen sehr lecker(w)/
ausgezeichnet(w)*
Das Essen war sehr lecker/ausgezeichnet!

Auf keinen Fall soll man vom Tisch aufstehen, ohne sich zu bedanken:

Sărut mâna pentru masă!
(ich-)küsse Hand-die für Tisch
Danke fürs Essen!

Totul a fost excelent!
alles (es-)hat gewesen ausgezeichnet
Alles ist ausgezeichnet gewesen.

Man wird Ihnen sicherlich antworten:

Mai poftiți la noi!
noch bedient bei uns
Schauen Sie noch mal bei uns vorbei!

Unterwegs

Unterwegs

Wahrscheinlich wollen Sie sich zunächst in der Stadt orientieren und wissen, wo Sie alles finden. Die folgenden Sätze helfen weiter.

in der Stadt

◉ **Ce obiective turistice există aici?**
was Objekte turistische (sie-)existieren hier
Was für Sehenswürdigkeiten gibt es hier?

◉ **Aș vrea să vizitez ...**
(ich-)habe wollen dass (ich-)besuche ...
Ich möchte ... besuchen.

medic	Arzt
expoziție	Ausstellung
bancă	Bank
cetate	Burg
monument	Denkmal
casă memorială	Gedenkhaus
magazine	Geschäfte
biserică	Kirche
spital	Krankenhaus
alimentară	Lebensmittelladen
piață	Markt
muzeu	Museum
palat	Palast
informații turistice	Touristeninformation

o sută șapte | 107

Unterwegs

Hinweisschilder

deschis	geöffnet
închis	geschlossen
de vânzare	zu verkaufen
de închiriat	zu vermieten
trageți	ziehen
împingeți	drücken
intrare	Eingang
ieșire	Ausgang
Fumatul interzis!	Rauchen verboten!
Pericol de moarte!	Lebensgefahr!
Gefahr von Tod	

Mit Nahverkehrsmitteln

Da die Fahrpreise für die jeweiligen Verkehrsmittel unterschiedlich sind, sollte man stets angeben, welches man benützen möchte.

Fahrscheine für Straßenbahnen, Busse oder Obusse erhält man an Kiosken, größeren Haltestellen, aber auch in Tabakläden (tutungerie). Dabei kann man Einzelscheine oder Kartenheftchen kaufen. Ein Einzelschein muss im Fahrzeug entwertet werden.

Fährt man in Bukarest mit der U-Bahn (metrou), muss man vor den Schranken Münzen einwerfen. Auf allen U-Bahnhöfen gibt es Stellen, wo Banknoten in Münzen gewechselt werden. Karten für Überlandbusse kann man direkt beim Fahrer erstehen.

Unde este stația de ...?
wo (sie-)ist Haltestelle-die von ...
Wo ist die ...-Haltestelle?

Unterwegs

Unde se găsesc bilete de …?
wo sich (sie-)finden Karten von …
Wo gibt es Karten für die/den …?

autobuz	Bus
tramvai	Straßenbahn
troleibuz	Obus

Unde trebuie să cobor pentru …?
wo (es-)muss-sein dass (ich-)aussteige für …
Wo muss ich für … aussteigen?

Când pleacă …?
wann (er-)weggeht …
Wann fährt … ab?

autobuzul	*Autobus-der*	der Bus
tramvaiul	*Straßenbahn-der*	die Straßenbahn
troleibuzul	*Obus-der*	der Obus

Cât durează călătoria?
wieviel (sie-)dauert Reise-die
Wie lange dauert die Reise?

Mit dem Zug

Fahrkarten gelten nur für den betreffenden Tag, für den sie gekauft worden sind. Deshalb sollte man beim Kartenkauf stets angeben, an welchem Tag man fahren möchte.

Personen- und Nahverkehrszüge haben keine Platzkarten. Für Schnell- und Eilzüge muss man Zuschläge für Plätze bzw. für die

Achtung:
Die Türen
werden während
der Fahrt nicht
automatisch
geschlossen.

o sută nouă **109**

Unterwegs

Geschwindigkeit kaufen. Bei internationalen Fahrscheinen muss die Platzreservierung nachgekauft werden. Da die Züge stets überfüllt sind, sollte man sich nach Möglichkeit rechtzeitig eine Fahrkarte, die bis zu 10 Tagen im Voraus gekauft werden können, besorgen.

Rumänen scheuen offene Zugfenster. Curent (Zugluft) ist ein Schreckenswort für sie, so dass in den Abteilen meist ein schrecklicher Mief herrscht.

Auf den Fahrplänen der Bahnhöfe sind Personen- und Nahverkehrszüge mit schwarzer, Schnellzüge mit roter, Eilzüge mit grüner und Intercity-Züge mit blauer Schrift ausgeschildert.

Unde este agenția de voiaj?
wo (sie-)ist Agentur-die von Reise
Wo ist der Fahrkartenvorverkauf?

Unde se află gara/peronul numărul ...?
wo sich (sie-)befindet Bahnhof-die/
Bahnsteig-der Nummer-der ...
Wo befindet sich der Bahnhof/
der Bahnsteig Nummer ...?

Când pleacă trenul spre ...?
wann (er-)weggeht Zug-der nach ...
Wann fährt der Zug nach ... ab?

Vreau să rezervez un loc / două locuri.
(ich-)will dass (ich-)reserviere ein Platz/zwei Plätze
Ich möchte 1 Platz / 2 Plätze reservieren.

Unterwegs

- **Un bilet clasa întâia / a doua până la ...**
 ein Karte Klasse-die erste / die zweite bis zu ...
 Eine Karte erster/zweiter Klasse nach ...

- **Când sosește trenul la ...?**
 wann (er-)eintrifft Zug-der in ...
 Wann trifft der Zug in ... ein?

- **Trebuie să schimb trenul?**
 (es-)muss-sein dass (ich-)wechsle Zug-der
 Muss ich umsteigen?

- **De pe care peron pleacă trenul?**
 von auf welcher Bahnsteig (er-)weggeht Zug-der
 Von welchem Bahnsteig fährt der Zug ab?

- **Trenul are întârziere.**
 Zug-der (er-)hat Verspätung
 Der Zug hat Verspätung.

- **Pot să deschid geamul?**
 (ich-)kann dass (ich-)öffne Fenster-das
 Kann ich das Fenster öffnen?

Eine Fahrt mit dem Personenzug ist oft ein Abenteuer, da die Leute zu Stoßzeiten geradezu wie Trauben an den Waggons hängen.

accelerat	Schnellzug
personal	Personenzug
agenție CFR	Vorverkauf
întârziere	Verspätung
fumători	Raucher
nefumători	Nichtraucher
bilet	Fahrkarte
ghișeu de bilete	Schalter
mersul trenurilor	Fahrplan

o sută unsprezece | **111**

Unterwegs

mit dem Taxi

Seitdem nach fast sechzigjähriger Unterbrechung in Rumänien Privatinitiative erlaubt ist, sind Privattaxis wie Pilze aus dem Boden geschossen. Sie sind gewöhnlich mit dem Buchstaben „P" (privat) gekennzeichnet und wesentlich teurer als staatliche.

Bei staatlichen Taxis erwartet der Fahrer zwar ein Trinkgeld, dafür kann er aber auch Quittungen ausstellen.

Sunteți liber?
(Ihr-)seid frei
Sind Sie frei?

Cât costă până la ...?
wie viel (es-)kostet bis zu ...
Wie viel kostet es bis ...?

Aș vrea să plec la ...
(ich-)habe wollen dass (ich-)weggehe nach ...
Ich möchte nach ... fahren.

Puneți aparatul de taxare!
macht-an Apparat-der von Taxierung
Stellen Sie das Taxameter ein!

Nu funcționează.
nicht (er-)funktioniert
Er funktioniert nicht!

Mergeți drept înainte / la stânga / la dreapta!
geht gerade vorwärts/nach links/nach rechts
Fahren Sie geradeaus/nach links/nach rechts!

Opriți aici!
haltet hier
Halten Sie hier!

Așteptați puțin!
wartet wenig
Warten Sie einen Moment!

112 | o sută doisprezece

Unterwegs

mit dem Flugzeug

Internationale Flughäfen befinden sich in Bukarest/Otopeni, Constanţa/Kogălniceanu, Timişoara (Temesvar), Sibiu (Hermannstadt) und Oradea (Großwardein). Das Netz der Inlandsverbindungen ist relativ gut ausgebaut. Doch auch hier gilt, was schon im vorigen Kapitel gesagt wurde: Man sollte sich rechtzeitig Flugscheine besorgen, da die Flugzeuge ziemlich überfüllt sind.

aeroport	Flughafen
avion	Flugzeug
cursă	Flug
decolare	Abflug

mit dem Schiff

Will man das überaus sehenswerte Donaudelta besuchen, muss man schon mit dem Schiff fahren, dem einzigen Verkehrsmittel in diesem Landstrich. Schiffe verkehren jedoch auch auf der rumänischen Donau. Auf einigen größeren Binnenseen gibt es Vergnügungsdampfer, die kleinere Kreuzfahrten unternehmen.

croazieră	Kreuzfahrt
port maritim	Hochseehafen
port fluvial	Flusshafen
rachetă	Tragflächenboot
vaporaş	Vergnügungsdampfer

o sută treisprezece | **113**

Unterwegs

Im Donaudelta besteht die Möglichkeit, sich in einem Fischerboot (lotcă) stundenweise durch die Kanäle spazieren fahren zu lassen. Als Zahlungsmittel taugt vor allem russischer Wodka. Die Fischer des Donaudeltas sind vorwiegend Russen (so genannte Lipowener) und schätzen dieses Getränk sehr.

Vreau să închiriez o lotcă pentru două/ patru ore.
(ich-)will dass (ich-)miete eine Boot für zwei(w)/ vier Stunden
Ich möchte ein Boot für zwei Stunden/ einen Nachmittag mieten.

mit dem Auto

Eine Autofahrt durch Rumänien kann unheimlich aufregend sein! Erstens sind die Nebenstraßen gewöhnlich in einem schlechten Zustand und zweitens kann man dort nach Regengüssen ganz einfach im Morast stecken bleiben. „Internationale" oder Hauptstraßen sind gewöhnlich in gutem Zustand. Die Verkehrszeichen entsprechen der internationalen Norm.

Viele rumänische Autofahrer halten sich nicht genau an die Verkehrsregeln, so dass man sehr vorsichtig fahren sollte. Besonders gefährlich kann eine Fahrt während der Dunkelheit sein, da auf den Straßen recht viele Pferdewagen verkehren, die zumeist keinerlei Beleuchtung besitzen.

Unterwegs

Sehr wichtig: Es gibt keine Promilleregelung, d. h. Alkoholgenuss ist auch in den geringsten Mengen verboten!

sens unic	Einbahnstraße
Parcare oprită!	Parken verboten!

Cum ajung la București?
wie (ich-)gelange nach Bukarest
Wie komme ich nach Bukarest?

Unde se află următoarea stație de benzină/ următorul atelier auto?
wo sich (sie-)befindet nächste-die Station von Benzin / nächster-der Werkstatt Auto
Wo befindet sich die nächste Tankstelle/ nächste Autowerkstatt?

benzină	Benzin
ulei	Dieselöl
motorină	Motoröl
apă distilată	destilliertes Wasser
vehicol	Fahrzeug
autoturism	Pkw
camion	Lkw
mașină	Wagen
stradă	Straße
șosea	Landstraße
loc de parcare	Parkplatz
semafor	Verkehrsampel
garaj	Garage
atelier auto	Autowerkstatt

o sută cincisprezece | 115

Unterwegs

Panne/Werkstatt

Vor der Fahrt nach Rumänien sollte man wissen, dass es schwierig ist, bei eventuellen Pannen entsprechende Ersatzteile zu bekommen. Zwar kann man im Notfall über den Rumänischen Automobilclub (ACR) welche bestellen, doch kann es Wochen dauern, bis diese auch eintreffen. Der ACR verfügt über gelbe Engel, doch gibt es keine Notrufstellen auf den Straßen, so dass man oft stundenlang stecken bleiben kann.

In solchen Fällen ist es angebracht, einen Wagen anzuhalten und sich gegen ein Entgelt abschleppen zu lassen. Deshalb sollte man stets ein Abschleppseil bei sich haben. Lkw-Fahrer verfügen gewöhnlich über ein sehr gutes technisches Wissen und sind gegen Geld oder ein Geschenk (Zigaretten, Getränke, Kaffee usw.) stets bereit, eine kleinere Panne sofort zu beheben.

Am o pană!
(ich-)habe eine Panne
Ich habe eine Panne!

Puteți să-mă remorcați până la următorul atelier auto?
(Ihr-)könnt dass-mich (Ihr-)abschleppt bis zu nächster-der Werkstatt Auto
Können Sie mich bis zur nächsten Autowerkstatt abschleppen?

Unterwegs

Puteţi să-mi reparaţi maşina?
(Ihr-)könnt dass-mir (Ihr-)repariert Wagen(Ez)-die
Können Sie mir den Wagen reparieren?

Când puteţi să fiţi gata?
wann (Ihr-)könnt dass (Ihr-)seid fertig
Wann können Sie fertig sein?

Maşina mea se află la ...
Wagen(Ez)-die meine sich (sie-)befindet in ...
Mein Wagen befindet sich in ...

Încărcaţi-mi acumulatorul!
ladet-mir Akkumulator-der
Laden Sie mir die Batterie auf!

Reglaţi carburatorul!
reguliert Vergaser-der
Stellen Sie den Vergaser ein!

Schimbaţi bujiile!
tauscht Zündkerzen-die
Tauschen Sie die Zündkerzen aus!

Umpleţi-mi camera!
füllt-mir Schlauch-die
Pumpen Sie die Reifen auf!

Denken Sie auch daran: Scheibenwischer sollten bei längerem Aufenthalt stets abmontiert
werden, da sie besonders häufig „verschwin-
den".

o sută şaptesprezece | **117**

Unterwegs

Werkzeug & Ersatzteile

cablu de remorcare	Abschleppseil
Kabel von Abschleppung	
ax	Achse
starter, demaror	Anlasser
frână	Bremse
piese de schimb	Ersatzteile
Stücke von Tausch	
bec pentru ...	Glühbirne für ...
Glühbirne für ...	
ciocan	Hammer
curea trapezoidală	Keilriemen
Riemen trapezförmig	
ambreiaj	Kupplung
anvelopă	Reifen
canistră de rezervă	Reservekanister
Kanister von Reserve	
cameră	Schlauch
Kammer/Zimmer	
şurub	Schraube
cheie franceză	Schraubenschlüssel
Schlüssel französisch	
şurubelniţă	Schraubenzieher
siguranţă	Sicherung
cric	Wagenheber
cleşte	Zange
bujie	Zündkerze

peteci	flicken
stricat	kaputt
suda	schweißen

118 | o sută optsprezece

Unterwegs

als Tramper

Trampen ist wegen des mangelhaften öffentlichen Verkehrssystems sehr beliebt. Allerdings rechnet der Fahrer damit, dass ihm die Fahrt vergütet wird. Gewöhnlich zahlt man ein Viertel weniger als den üblichen Fahrkartenpreis.

Weibliche Tramper sollten nie allein reisen, da die meisten Rumänen – besonders junge – der Ansicht sind, dass sie auf Ausländerinnen eine unwahrscheinliche Anziehungskraft ausüben.

Aş vrea să merg la ...
(ich-)habe wollen dass (ich-)gehe nach ...
Ich möchte nach ...

Mă luaţi cu dumneavoastră?
mich (Ihr-)nehmt mit Sie
Nehmen Sie mich mit?

Până unde mergeţi?   **Mergeţi spre ...?**
bis wo (Ihr-)geht   *(Ihr-)geht nach ...*
Bis wohin fahren Sie?   Fahren Sie nach ...?

Vreau să cobor aici.
(ich-)will dass (ich-)aussteige hier
Ich möchte hier aussteigen.

Opriţi aici!   **Opriţi imediat!**
haltet hier   *haltet sofort*
Halten Sie hier!   Halten Sie sofort!

o sută nouăsprezece **119**

Einkaufen

Einkaufen

Einkäufe gehören nun mal zu einer Auslandreise. Einerlei, ob man das tägliche Brot oder ein Souvenir erstehen will – ein Bummel durch die Läden lohnt sich immer, auch wenn es nicht immer das zu kaufen gibt, was man eben möchte. Ein Tipp: Gleich kaufen! Es könnte nämlich passieren, dass die angepeilte Ware wenige Stunden später oder am nächsten Tag ausverkauft ist.

program	Öffnungszeiten
deschis	geöffnet
închis	geschlossen

Vă rog să-mi ştampilaţi marfa.
Euch (ich-)bitte dass-mir (Ihr-)stempelt Ware-die
Bitte stempeln Sie mir die Ware ab.

Oftmals findet man Läden geschlossen vor. Meist ist an der Ladentür ein Zettel angebracht, der die Schließung begründet.

Concediu	Urlaub
Primim marfă	Warenübernahme
(wir-)bekommen Ware	
Inventar	Inventur
Vin imediat!	Komme gleich!
(ich-)komme gleich	

Einkaufen

Ladenbezeichnungen

magazin	Laden
magazin universal	Warenhaus
alimentară	Lebensmittelladen
artă populară	Volkskunst
artizanat	Kunstgewerbe
consignație	An- und Verkauf
electrice	Elektrowaren
mercerie	Kurzwaren
librărie	Buchhandlung
obiecte casnice	Haushaltswaren
farmacie	Apotheke

꩜ **Unde pot să cumpăr ...?**
wo (ich-)kann dass (ich-)kaufe ...
Wo kann ich ... kaufen?

Einkaufsliste

꩜ **Aș vrea să cumpăr ...**
(ich-)habe wollen dass (ich-)kaufe ...
Ich möchte ... kaufen.

꩜ **Cât costă ...?**   **(Nu) iau acesta.**
was (es-)kostet ...   *(nicht) (ich-)nehme dies*
Wie viel kostet ...?   Ich nehme dies (nicht).

pâine	Brot
chiflă	Brötchen
biscuiți	Keks
unt	Butter
napolitane	Waffeln

o sută douăzeci și unu | **121**

Einkaufen

ul**ei**	Speiseöl
br**â**nză	Käse
ca**ș**cav**al**	Hartkäse
telem**ea**	Schafskäse
lapte	Milch
z**a**ră	Buttermilch
fri**ș**că	Sahne
chef**ir**	Kefir
mi**e**re	Honig
marmel**a**dă	Marmelade
câr**na**t	Wurst
cârnăci**o**ri	Würstchen
carne de v**i**tă	Rindfleisch
Fleisch von Rind	
carne de porc	Schweinefleisch
Fleisch von Schwein	
pu**i**	Hühnchen
sal**a**m	Salami
p**eș**te	Fisch
ouă (Mz)	Eier
leg**u**me	Gemüse
vin	Wein
fr**u**cte	Obst
o**ț**et	Essig
z**a**hăr	Zucker
s**a**re	Salz
chibr**i**turi	Streichhölzer
ț**i**gări	Zigaretten
hârt**ie** ig**ie**nică	Toilettenpapier
Papier hygienisch	
v**a**tă	Watte
ul**ei** de pl**ajă**	Sonnenöl
Öl von Strand	

122 | o s**u**tă d**ou**ăzeci și d**oi**

Einkaufen

🗨 **Vre<u>a</u>u să mă <u>ui</u>t n<u>u</u>mai un pic.**
(ich-)will dass mich (ich-)gucke nur ein bisschen
Ich möchte mich bloß mal umgucken.

Souvenirs

Als Andenken an den Urlaub bieten sich einheimisches Kunsthandwerk, Lederwaren und Schallplatten (Kassetten, auch CD's) an.

bl<u>u</u>ză	Bluse
portof<u>e</u>l	Brieftasche
poș<u>e</u>tă	Handtasche
f<u>aț</u>ă de p<u>e</u>rnă	Kissenüberzug
Gesicht von Polster	
p<u>ie</u>le	Leder
disc	Schallplatte
broder<u>ie</u>	Stickerei
cov<u>o</u>r	Teppich
șterg<u>a</u>r	Tischläufer
f<u>aț</u>ă de m<u>a</u>să	Tischtuch
Gesicht von Tisch	

© Rumänisches Touristenamt

■ Bemalte Eier

o s<u>u</u>tă d<u>ou</u>ăzeci și tr<u>ei</u> | 123

Polizei & Behörden

Grenz- und Zollbeamte sprechen in der Regel Deutsch. Die An- und Abmeldung erfolgt in den Hotels und Campingplätzen automatisch. Wohnt man privat, so besorgt das der betreffende Gastwirt.

Bei der Polizei

Unde este poliția?
wo (sie-)ist Polizei-die
Wo ist hier die Polizeidienststelle?

Mi s-au furat ...
mir sich-(sie-)haben gestohlen ...
Mir wurde/n ... gestohlen.

banii	*Münzen-die*	das Geld
pașaportul	*Pass-der*	der Pass
hainele	*Kleider-die*	die Kleider

Auf der Polizei wird ein Protokoll in rumänischer Sprache aufgesetzt. Es empfiehlt sich, einen Dolmetscher zu besorgen.

Bank, Post & Telefonieren

Bank, Post & Telefonieren

Geld kann man in den größeren Hotels oder an den unzähligen Wechselschaltern, die überall zu finden sind, wechseln. Günstiger tauscht man allerdings auf der Straße sein Geld ein. Man wird immer wieder darauf angesprochen. Doch sollte man sich vor Betrügern hüten und sehr genau wissen, wie viel man für sein Geld (bani, nur Mz) in der Bank bekommen würde!

Die rumänische Währungseinheit ist der leu (Löwe).

1 leu (Mz lei) = 100 bani

- **Unde este un ghișeu de schimb?**
  wo (er-)ist ein Schalter von Wechsel
  Wo ist ein Wechselschalter?

- **Pot să schimb și cecuri?**
  (ich-)kann dass (ich-)wechsle auch Schecks
  Kann ich auch Schecks wechseln?

- **Care este cursul valutar?**
  welches (er-)ist Kurs-der valutär
  Welches ist der Wechselkurs?

- **Vreau să schimb ...**
  (ich-)will dass (ich-)wechsele ...
  Ich möchte ... wechseln.

Bank, Post & Telefonieren

Post

Auf der Post kann man auch Briefpapier, Briefumschläge und Ansichtskarten kaufen. All dies kann man übrigens auch in Hotels oder auf den Campingplätzen erhalten.

Ortsgespräche können vom Münzfernsprecher aus geführt werden. Ferngespräche nur von Apparaten, auf denen interurban steht. Auslandsgespräche oder solche, die in eine nicht ans Vorwahlnetz angeschlossene Ortschaft gehen, müssen über das Fernamt erfolgen. Mit dem Mobiltelefon ist heutzutage alles noch viel einfacher geworden.

convorbire interurbană	Ferngespräch
cabină telefonică	Telefonzelle
carte poștală	Postkarte
colet	Paket
ilustrată, vedere	Ansichtskarte
plic	Briefumschlag
scrisoare expres	Eilbrief
recomandată	Einschreiben
scrisoare simplă	einfacher Brief
timbru poștal	Briefmarke

Doresc timbre pentru o scrisoare în Germania.
(ich-)wünsche Briefmarken für eine Brief in Deutschland
Ich möchte Briefmarken für einen Brief nach Deutschland.

Bank, Post & Telefonieren

telefonieren

🕽 **Vreau o convorbire telefonică cu ...**
(ich-)will eine Gespräch telefonische mit ...
Ich möchte eine Fernsprechverbindung mit ...

🕽 **Aici este numărul de telefon.**
hier (er-)ist Nummer-der von Telefon
Hier ist die Telefonnummer.

o sută douăzeci și șapte | 127

Am Meer & Im Gebirge

Für einen Urlaub am Meer sind folgende Sätze und Vokabeln hilfreich.

Unde este plaja?
wo ist Strand-die
Wo ist der Strand?

Scăldatul interzis!
Baden-das verboten
Baden verboten!

a face baie	baden
a înota	schwimmen
barcă de salvare	Rettungsboot
colac de salvare	Rettungsgürtel
nisip	Sand
parasol	Sonnenschirm
şezlong	Liegestuhl
insolaţie	Sonnenstich
salvamar	Rettungsdienst
scoică	Muschel
val	Welle
vapor	Schiff
curent	Strömung

Für FKK-Fans gibt es in den großen Seebädern durch hohe Bretterwände oder sogar Mauern vom übrigen Strand abgeteilte FKK-Strände, solariu (Solarium) genannt, wo streng nach Männlein und Weiblein getrennt gebadet wird. In kleineren Seebädern geht man entlang des Strands bis dorthin, wo man die ersten Nackedeis sieht. Hier können auch Familien oder Pärchen nackt baden.

Am Meer & Im Gebirge

im Gebirge

Entlang der Wanderpfade in den Karpaten gibt es gegügend Schutzhütten (cabană) oder auch unbewirtschaftete Übernachtungshütten (refugiu). Oft kommt man im Gebirge an Sennhütten (stână) vorbei, wo man bei meist freundlichen Hirten übernachten kann. Doch Achtung vor den Hunden, die stets die Schafherden begleiten: Sie können sehr bissig sein! Bei den Hirten kann man oft frischen Schafskäse oder Molke erstehen. Die Wegmarkierungen sind meist gut, und eine Bergwacht gibt es in den meisten Gebirgsmassiven.

brânză	Käse
urdă	Schafskäse süß
zer, jintiţă	Molke

Der „normale"
Schafskäse heißt
brânză telemea.

🕙 **Cât mai este până la cabana ...?**
wieviel mehr (es-)ist bis zu Hütte-die ...
Wie weit ist es noch bis zur Hütte ...?

Ce marcaj duce la ...?
was Markierung (sie-)führt nach ...
Welche Wegmarkierung führt nach ...?

🕙 **M-am rătăcit.**
mich-(ich-)habe verirrt
Ich habe mich verlaufen!

o sută douăzeci și nouă 129

Am Meer & Im Gebirge

Arătați-mi poteca spre ...!
zeigt-mir Pfad-die zu ...
Zeigen Sie mir den Pfad nach ...!

copac	Baum
salvamont	Bergwacht
teleferic	Drahtseilbahn
stâncă	Felsen
vârf	Gipfel
câine	Hund
ceață	Nebel
ploaie	Regen
zăpadă	Schnee
telecabină	Schwebebahn
lac	See
telescaun	Sessellift
furtună	Sturm
vale	Tal
intemperie	Unwetter
pădure	Wald
potecă	Wanderpfad
cascadă	Wasserfall
nori	Wolken

Nachtleben

Das Nachtleben ist in Rümänien nicht sehr ausgeprägt. Nachtbars schließen oftmals schon um 1 Uhr. Hingegen lohnt es sich, ein Konzert oder die Oper zu besuchen. Die Rumänen verfügen über hervorragende Solisten. Auch eine Folkloredarbietung sollte man sich nicht entgehen lassen. Karten erhält man gewöhnlich an der Abendkasse. Doch ist es ratsam, eine halbe Stunde vor Beginn der Vorstellung zu kommen und – sollte es keine Karten mehr geben – die Leute anzusprechen:

🗩 **Mai aveți un bilet în plus?**
mehr (Ihr-)habt ein Karte in plus
Haben Sie noch eine Karte übrig?

🗩 **Când începe spectacolul de folclor?**
wann (er-)beginnt Vorstellung-der von Folklore
Wann beginnt die Folkloredarbietung?

discotecă	Disco
cinema	Kino
concert	Konzert
bar de noapte	Nachtlokal
Bar von Nacht	
operă	Oper
teatru	Theater

o sută treizeci și unu | 131

Liebesgeflüster

Rumänen sind Südländer und üben auf Mädchen aus nördlichen Regionen oftmals einen großen Reiz aus. Das wissen manche sehr gut, und deshalb schwärmen sie im Sommer in die Seebäder und im Winter in die Gebirgskurorte aus, um einen „Fang" zu machen. Oft sprechen sie ein paar Brocken einer Weltsprache und bandeln sehr schnell an. Im Volksmund werden sie peşte (Fisch) genannt. Werden sie besonders aufdringlich, kann man sagen:

Lasă-mă în pace!
lass-mich in Frieden
Lass mich zufrieden!

Pleacă de aici!
weggeh von hier
Hau ab!

Vreau să fiu singură!
(ich-)will dass (ich-)sei alleine(w)
Ich möchte allein sein! (sagt Frau)

Sunt cu soţul meu.
(ich-)bin mit Mann-der mein
Ich bin mit meinem Mann da.

Du-te, labagiule! (vulgär)
weggeh-dich, Wichser
Weg mit dir, du Wichser!

Allerdings kann es schon mal vorkommen, dass man solch einer dunkelhäutigen, glut-

Liebesgeflüster

äugigen Schönheit nicht widerstehen kann
und Amors Pfeil seine Wirkung tut.

Îmi placi foarte mult.
mir (du-)gefällst sehr viel
Du gefällst mir sehr.

Ne vedem deseară?
uns (wir-)sehen heute abend
Treffen wir uns heute Abend?

Bem o cafea împreună?
(wir-)trinken eine Kaffee gemeinsam
Wollen wir zusammen einen Kaffee trinken?

Să ne plimbăm puțin?
dass uns (wir-)spazieren wenig
Wollen wir ein wenig spazieren gehen?

Vrei să dansăm undeva?
(du-)willst dass (wir-)tanzen irgendwo
Willst du, dass wir irgendwo tanzen?

Ai păr frumos/ochi frumoși/un corp minunat!
(du-)hast Haar schön/Augen schöne/ein Körper wunderbar
Du hast schönes Haar/schöne Augen/
einen wunderbaren Körper!

Ești drăguț/ă.   **Te iubesc.**
(du-)bist nett(m/w)   *dich (ich-)liebe*
Du bist nett.   Ich liebe dich.

o sută treizeci și trei | 133

Liebesgeflüster

Să ne culcăm împreună.
dass uns (wir-)niederlegen zusammen
Wollen wir zusammen schlafen?

Azi nu!   **Ai prezervative?**
heute nicht   *(du-)hast Präservative*
Heute nicht!   Hast du Präservative?

Friedhof in Sapanta

Fotografieren

Fotografieren

Halten Sie Ihren Fotoapparat nicht einfach auf alles, was sich bewegt. Respektieren Sie, dass sich die Leute gestört fühlen können, wenn Sie fotografiert werden, ohne vorher gefragt zu werden.

Fotografieren Sie keine Brücken, Polizei, Soldaten oder militärische Anlagen.

Pot să vă fotografiez?
(ich-)kann dass Euch (ich-)fotografiere
Darf ich Sie fotografieren?

Puteți să ne faceți o poză?
(Ihr-)könnt dass uns (Ihr-)macht eine Bild
Könnten Sie (wohl) ein Foto von uns machen?

aparat de fotografiat	Fotoapparat
film	Film
negativ	Negativ
film color	Farbfilm
film diapozitiv	Diafilm
alb-negru	schwarz-weiß
fotografia	fotografieren
developa	entwickeln

o copie după fiecare negativ
eine Kopie nach jedes Negativ
ein Abzug von jedem Negativ

Krank sein

Gewöhnlich erwartet der Arzt, aber auch die Krankenschwester, vom Patienten ein Geschenk (Kaffee, Zigaretten, Getränke).

beim Arzt	
medic	Arzt
salvare	Rettungswagen
spital	Krankenhaus

Erster-Hilfe-Dienst ist in Rumänien unentgeltlich.

Unde găsesc un medic / un spital?
wo (ich-)finde ein Arzt / ein Krankenhaus
Wo finde ich einen Arzt / ein Krankenhaus?

Ce ați pățit?   **Ce vă doare?**
was (Ihr-)habt geschehen   *was Euch (es-)wehtut*
Was ist los mit Ihnen?   Was tut Ihnen weh?

Mă simt rău.   **Sunt bolnav/ă.**
mich (ich-)fühle schlecht   *(ich-)bin krank(m/w)*
Ich fühle mich schlecht.   Ich bin krank.

Mă doare piciorul/stomacul/gâtul.
mich (er-)wehtut Fuß-der/Magen-der/Hals-der
Mir tut der Fuß/Magen/Hals weh.

Am răcit/căzut/vomitat.
(ich-)habe erkältet/gefallen/erbrochen
Ich habe mich erkältet/bin gefallen/
habe mich erbrochen.

Krank sein

🗩 **Am probleme cu inima/rinichii/ficatul.**
(ich-)habe Probleme mit Herz-die/Nieren-die/Leber-der
Ich habe Herz-/Nieren-/Leberbeschwerden.

🗩 **Seringa e sterilă?** **Nu-mi dați injecție!**
Spritze-die ist sterile *nicht-mir gebt Injektion*
Ist die Spritze steril? Keine Spritze!

Zum Schutz gegen Aids sollten Sie evtl. steril verpackte Spritzen mitnehmen.

🗩 **Am ac propriu.**
(ich-)habe Nadel eigen
Ich habe eine eigene Spritze!

alergie	Allergie
diaree	Durchfall
temperatură	Fieber
vezică biliară	Gallenblase
rupt	gebrochen
gripă	Grippe
infecție	Infektion
injecție	Injektion
cap	Kopf
crampe	Krämpfe
bolnav/ă	Kranke(r)
dureri de stomac	Magenschmerzen
frisoane	Schüttelfrost
amețeli	Schwindel
insolație	Sonnenstich
accident	Unfall
luxat	verstaucht
constipație	Verstopfung

o sută treizeci și șapte | 137

Krank sein

beim Zahnarzt

Zum Zahnarzt sollte man nur im äußersten Notfall gehen, da es leider meistens an guter Ausstattung fehlt.

Vă rog să-mi plombați acest dinte!
Euch (ich-)bitte dass-mir (Ihr-)plombiert dieser Zahn
Bitte plombieren Sie mir diesen Zahn!

Nu extrageți!	**Vă rog anestezie!**
nicht zieht	*Euch (ich-)bitte Anästhesie*
Nicht ziehen!	Bitte betäuben!

Apotheke

Alle Arzneimittel, ob rezeptpflichtig oder nicht, müssen aus eigener Tasche bezahlt werden.

fiolă	Ampulle
farmacie	Apotheke
alifie, unguent	Salbe
tabletă	Tablette
tinctură	Tinktur
picături	Tropfen
supozitoriu	Zäpfchen

de două/trei ori pe zi	**înainte/după masă**
von zwei/drei mal auf Tag	*vor/nach Tisch*
zwei-/dreimal täglich	vor/nach dem Essen

138 | o sută treizeci și opt

Toilette & Co.

Toilette & Co.

Für „Toilette" gibt es im Rumänischen eine Unzahl von Wörtern. Die geläufigsten sind: toaletă, closet, WC (sprich: „wetsche-u"). Neben den herkömmlichen Symbolen kann man an den Toilettentüren lesen:

bărbați / B	Herren
femei / F	Frauen

Neben den Sitzklos sind vor allem in öffentlichen Toiletten türkische Hocktoiletten durchaus üblich. Diese sind gewöhnlich selten sauber. Toilettenpapier (hârtie igienică) sollte man auf jeden Fall stets bei sich haben. Und wenn es möglich ist, geht man am besten im eigenen Quartier aufs stille Örtchen!

> **Unde este aici un WC public?**
> *wo (es-)ist hier ein WC öffentlich*
> Wo ist hier eine öffentliche Toilette?

Trebuie să ies!
(es-)muss-sein dass (ich-)hinausgehe
Ich muss mal!

o sută treizeci și nouă

Schimpfen & Fluchen

Schimpfen & Fluchen

Man könnte ein ganzes Buch über das Fluchen schreiben, denn die Rumänen behaupten, am schlimmsten würden die Ungarn fluchen. Diese sagen das von den Russen, die Russen von den Bulgaren, die Bulgaren von den Serben und diese von den Rumänen ...

a înjura	fluchen
înjurătură	Fluch
porcule!	du Schwein!
boule!	du Hornochse!
vaco!	du Trampel!
tâmpitule!	du Trottel!

Nun, wie dem auch sei, folgende Ausdrücke sollten nicht benutzt werden, da sie oft schwer beleidigend sind, obwohl die Flüche nicht so schockierend sind, wie sie im Deutschen klingen. Sie drücken meist einen Unwillen aus, der unserem Deutschen „Was zum Teufel" entspricht.

Du-te în pizda mă-tii!
geh-dich in Fotze Mutter-deine
Geh zum Teufel!

Futu-te în cur!
fick-dich in Arsch
Leck mich mal!

Schimpfen & Fluchen

Lăsați-mă în pace! – Lassen sie mich in Ruhe!

Wandern in den Karpaten

Băga-mi-aș pula în tine!
stecken-mir-(ich-)habe Schwanz-der in dich
Hol dich der Teufel!

Ce pizda mă-sii!
was Fotze Mutter-seine
Was zum Teufel!

Ce pula mea!
was Schwanz meiner
Was zum Donner!

Nichts verstanden? – Weiterlernen!

Kennt man ein ganz bestimmtes rumänisches Wort nicht und will man noch etwas dazulernen, kann man auf den entsprechenden Gegenstand zeigen und folgende Frage stellen:

Cum se spune pe românеște?
wie sich (es-)sagt auf rumänisch
Wie heißt das auf Rumänisch?

Wenn der rumänische Gesprächspartner ein wenig Deutsch sprechen kann, kann man auch fragen:

Cum se spune „schön" pe românеște?
wie sich (es-)sagt „schön" auf rumänisch
Was heißt „schön" auf Rumänisch?

Er wird dann sagen: frumos.
   Wenn man das Wort nicht genau versteht, kann man ihn bitten:

Vă rog să-mi scrieți aceasta!
Euch (ich-)bitte dass-mir (Ihr-)schreibt diese(w,Ez)
Bitte, schreiben Sie mir das auf!

Vă rog, vorbiți mai rar!
Euch (ich-)bitte, sprecht mehr langsam
Bitte sprechen Sie langsamer!

142 | o sută patruzeci și doi

Nichts verstanden? – Weiterlernen!

Nu vă înțeleg!
nicht Euch (ich-)verstehe
Ich verstehe Sie nicht!

Învăț acum românește.
(ich-)lerne jetzt rumänisch
Ich lerne jetzt Rumänisch.

Înțeleg puțin.   **Vorbesc puțin.**
(ich-)verstehe wenig   *(ich-)spreche wenig*
Ich verstehe ein wenig. Ich spreche ein wenig.

Wenn die Verständigung überhaupt nicht klappen sollte und man schon halb verzweifelt ist, kann man fragen:

Scuzați, vorbiți și ...?
entschuldigt, (Ihr-)sprecht auch ...
Entschuldigen Sie, sprechen Sie auch ...?

| **germană** | Deutsch |
| **engleză** | Englisch |

Die Antwort kann dann lauten:

da	ja
nu	nein
puțin	ein wenig
bine	gut

Nu vorbesc decât românește.
nicht (ich-)spreche als rumänisch
Ich spreche nur Rumänisch.

o sută patruzeci și trei | 143

Literaturhinweise

In Rumänien gibt es zwar Werke zum Erlernen der rumänischen Sprache, doch sind diese für Studenten gedacht und kommen für den Selbstunterricht kaum in Frage.

In Deutschland liegt zur Zeit bloß folgendes Buch auf: Kommunikationskurs Rumänisch sprechen, Hueber.

Als Wörterbuch ist zu empfehlen: Universalwörterbuch Rumänisch, Langenscheidt.

Die hier genannten Bücher/Schriften sind nicht über den Reise Know-How Verlag erhältlich.

Wilhelm Scherz

Kauderwelsch-Sprechführer

Leute kennen lernen und einfach loslegen: Sprechen

«Wort-für-Wort»
Einen ersten Einblick in die Sprache gewinnen, um die wichtigsten Situationen meistern zu können.

«Slang»:
Die authentische Umgangssprache kennen lernen.

«Dialekt»:
heimische Mundarten von Platt bis Bairisch, von Wienerisch bis Schwiizertüütsch.

«Deutsch für Ausländer»:
Das einfache Kauderwelsch-System auch für unsere Gäste.

«AusspracheTrainer» auf Audio-CD
gibt es zu vielen Sprachführern. Sie werden die „Begleitkassetten" in den nächsten Jahren ablösen.

«Kauderwelsch DIGITAL»
Komplett digitalisierte Kauderwelsch-Bände zum Lernen am PC. Alle fremdsprachlichen Wörter werden auf Mausklick vorgesprochen, Bonus auf der CD-ROM: der AusspracheTrainer – auch für Ihr Audioabspielgerät.

Über 200 Bände, mehr als 110 Sprachen
Eine Übersicht über alle Kauderwelsch-Produkte finden Sie unter
www.reise-know-how.de

Kauderwelsch Sprechführer
Leute kennen lernen und einfach loslegen: Sprechen

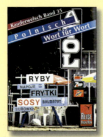

B. Ordish
Polnisch
ISBN 978-3-89416-527-7

M. Wortmann
Tschechisch
ISBN 978-3-89416-058-6

E. Engelbrecht
Bulgarisch
ISBN 978-3-89416-240-5

D. Jowanovic
Serbisch
ISBN 978-3-89416-537-6

P. Simig
Ungarisch
ISBN 978-3-89416-053-1

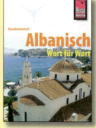

C. & A. Jänicke
Albanisch
ISBN 978-3-89416-255-9

REISE KNOW-HOW Verlag, Bielefeld
www.reise-know-how.de

Reiselust

Wer die großen Metropolen Osteuropas selbstständig und preiswert auf eigene Faust entdecken möchte, sollte auf die fundierten und praktischen Reiseführer & City Guides von **REISE KNOW-HOW** nicht verzichten:

Joscha Remus, Hans-Gerd Spelleken
Rumänien & Republik Moldau
840 Seiten, ca. 190 Fotos
Farbiger Kartenatlas
ISBN: 978-3-8317-1666-1

Frank Strzyzewski
CityGuide Budapest
300 Seiten
ISBN: 978-3-8317-1639-5

Eva Gruberová & Helmut Zeller
CityTrip Prag
144 Seiten
ISBN: 978-3-8317-1810-8

Beppo Beyerl
CityGuide Wien
288 Seiten
ISBN-10: 3-8317-1739-2

www.reise-know-how.de

Wörterlisten (Systematik)

Wörterlisten (Systematik)

Die Wörterlisten enthalten einen Grundwortschatz von ca. 1000 Wörtern. Vokabular, das man in den einzelnen Kapiteln nachschlagen kann, ist hier nicht immer aufgeführt. Da es in der rumänischen Sprache sehr viele Unregelmäßigkeiten gibt, deren Kenntnis manch peinliches Missverständnis ausschließt, sind diese wie folgt kennzeichnet:

Hauptwörter

Es werden immer Einzahl- und Mehrzahlformen angegeben:

slip (-uri) – *lies:*
slip (Ez), slipuri (Mz)
băi/at (-eți) – *lies:*
băiat (Ez), băieți (Mz)
sare (săruri) – *lies:*
sare (Ez), săruri (Mz)
nume (=) – *lies:*
nume (Ez), nume (Mz)

Viele einsilbige Hauptwörter werden durch die Mehrzahlform zweisilbig. Die Betonung liegt dann stets auf der ersten Silbe.

coș (-uri) – *lies:*
coș, coșuri (Mz)

Eigenschaftswörter

Es werden nur unregelmäßige Formen genannt.

frum/os (-oasă, -oși)
lies:
frumos (m/s Ez)
frumoasă (w Ez)
frumoși (m Mz)
frumoase (w/s Mz)

vech/i (-e)
lies:
vechi (m/s Ez)
veche (w Ez)
vechi (m/w/s Mz)

Tätigkeitswörter

Für die Tätigkeitswörter werden nur die folgenden unregelmäßige Formen genannt:

a cit/i (-esc) – *lies:*
citesc (1. Pers. Ez: ich)
a rup/e (P -t)
rupt (Partizip)

Abkürzungen

In der Wörterliste verwendete Abkürzungen:

m	männlich
w	weiblich
s	sächlich
Ez	Einzahl
Mz	Mehrzahl
1. Ez	1. Person Einzahl (ich)
3. Ez	3. Person Einzahl (er, sie, es)
P	Partizip (Mittelwort der Vergangenheit)

Wörterliste Deutsch – Rumänisch

Wörterliste Deutsch – Rumänisch

A

Abend seară (seri) (w)
Abendessen
 cin/ă (-e) (w)
abends seara
aber dar
Abfahrt
 plec/are (-ări) (w)
abmachen
 con/veni (-vin)
abreisen pleca
Abschied
 despărţir/e (-i) (w)
abschleppen
 remor/ca (-chez)
Absender
 expeditor (-i) (m)
Absicht
 intenţi/e (-i) (w)
Achtung! atenţie! (w)
Adresse adres/ă (-e) (w)
ähnlich asemănăt/or
 (-oare, -ori)
Alkohol alcool (s)
alle toţi (m), toate (w, s)
allein singur
als (zeitl.) când
also deci
alt (Ding) vech/i (-e)
alt (Mensch) bătrân
amüsieren, sich
 amuza, se
anbieten oferi
Anfang început (-uri) (s)

anfangen încep/e
 (P -ut)
Angst frică (w)
ankommen sos/i (-esc)
Ankunft sosir/e (-i) (w)
anstatt în loc de
Antwort
 răspuns (-uri) (s)
antworten răspun/de
 (P -s)
Apfel măr (mere) (s)
Appetit poftă (w)
Aprikose cais/ă (-e) (w)
Arbeit munc/ă (-i) (w)
arbeiten munc/i (-esc)
Arbeiter muncitor (-i) (m)
arm sărac
Arznei
 medicament (-e) (s)
Aschenbecher
 scrumier/ă (-e) (w)
Auberginen
 vinete (w, Mz)
auch şi
Aufenthalt şedere (w)
Aufführung
 spectacol (-e) (s)
aufstehen scula, se
 (1. Ez scol)
aufsteigen urca
aufwachen
 trez/i, se (-esc)
aufwecken trez/i (-esc)
Ausflug
 excursi/e (-i) (w)

Ausgang ieşir/e (-i) (w)
Auskunft
 informaţi/e (-i) (w)
Ausland străinătate (w)
Ausländer străin (-i) (m)
Ausnahme
 excepţi/e (-i) (w)
außerdem
 pe lângă aceasta
Aussicht
 panoram/ă (-e) (w)
Aussprache
 pronunţie (w)
Ausstellung
 expoziţi/e (-i) (w)
Ausweis legitimaţie (w)
Auto maşin/ă (-i) (w)
Autobahn auto/stradă
 (-străzi) (w)
Autobus autobuz (-e) (s)

B

Bach gârl/ă (-e) (w)
Bad baie (băi) (w)
Badeanzug
 costum (-e) de baie (s)
Badehose slip (-uri) (s)
baden face baie
Bahnhof gară (gări) (w)
Bahnsteig
 per/on (-oane) (s)
bald curând
Ball ming/e (-i) (w)
Bank bancă (bănci) (w)

o sută cincizeci şi unu | 151

Wörterliste Deutsch – Rumänisch

Batterie baterie (w)
Bau construcți/e (-i) (w)
Bauch burtă (w)
bauen constru/i (-esc)
Bauer țăran (-i) (m)
Beamte
  funcționar/ă (-e) (w)
Beamter
  funcționar (-i) (m)
Bedienung (Ober)
  ospătar (-i) (m)
Bedienung (Dienst)
  servici/u (-i) (s)
beeilen, sich
  grăb/i, se (-esc)
beenden termina
befehlen ordona
befreunden, sich
  împrieten/i, se (-esc)
begegnen, sich
  întâln/i (-esc)
beginnen
  încep/e (P -ut)
begleiten însoț/i (-esc)
begrüßen saluta
behandeln (Krankheit)
  trat/a (-ez)
bei la, lângă
beide amân/doi (m), -două (w, s)
Bein pici/or (-oare) (s)
beinahe aproape
Beispiel
  exempl/u (-e) (s)
bekommen
  prim/i (-esc)
beleidigen jign/i (-esc)

bemerken observa
benachrichtigen
  înștiința
benutzen folos/i (-esc)
Benzin benzină (w)
bequem como/d (-zi)
bereit gata
Berg deal (-uri) (s)
Beruf meseri/e (-i) (w)
berühmt faim/os
  (-oasă, -oși)
Beschwerde
  reclamați/e (-i) (w)
beschweren, sich
  plân/ge (P -s)
besetzt ocupat
besichtigen
  vizion/a (-ez)
besser mai bine
bestellen comanda
bestrafen
  pedeps/i (-esc)
Besuch
  vizit/ă (-e) (w)
besuchen vizit/a (-ez)
Betrieb
  întreprinder/e (-i) (w)
betrügen înșela
betrunken beat
Bett pat (-uri) (s)
Bettlaken
  cearșaf (-uri) (s)
Bewohner
  locuitor (-i) (m)
bezahlen plăt/i (-esc)
Bezirk district (-e) (s)
Bier bere (w)

Bild tablo/u (-uri) (s)
billig ieftin
Birne pară (pere) (w)
bis până
Bitte
  rugămin/te (-ți) (w)
Blatt (Papier)
  coală (coli) (w)
blau albastru
bleiben răm/âne (P -as)
Bleistift
  crei/on (-oane) (s)
Blume floare (flori) (w)
Blut sânge (m)
Bohne fasol/ea (-e) (w)
Botschaft
  ambasad/ă (-e) (w)
brauchen avea nevoie
bremsen frân/a (-ez)
brennen ar/de (P -s)
Brief
  scris/oare (-ori) (w)
Briefmarke
  timbr/u (-e) (s)
Briefumschlag
  plic (-uri) (s)
Brille ochelari (m, Mz)
bringen adu/ce (P -s)
Brot pâin/e (-i) (w)
Brötchen chifl/ă (-e) (w)
Brücke pod (-uri) (s)
Bruder fra/te (-ți) (m)
Brunnen fântân/ă (-i) (w)
Brust (Mann)
  piep/t (-ți) (m)
Brust (Frau) sân (-i) (m) (w)

152 o sută cincizeci și doi

Wörterliste Deutsch – Rumänisch

brutal brut<u>a</u>l
Buch c<u>a</u>rte (c<u>ă</u>r<u>ț</u>i) (w)
Bügeleisen
 fi<u>e</u>r de călc<u>a</u>t (s)
bunt color<u>a</u>t
Burg cet<u>a</u>te (-<u>ăț</u>i) (w)
Büro ofic<u>i</u>/u (-i) (s)
Bus autob<u>u</u>z (-e) (s)
Bushaltestelle sta<u>ț</u>i/e
 (-i) de autob<u>u</u>z (w)
Butter unt (m)

C

Café cafen/<u>ea</u> (-<u>e</u>le) (w)
Camping
 c<u>a</u>mping (-uri) (s)
Chauffeur șof<u>e</u>r (-i) (m)
Chef șef (-i) (m)
Cousin văr (v<u>e</u>ri) (m)
Cousine v<u>a</u>ră (v<u>e</u>re) (w)

D

daheim (zu Hause)
 ac<u>a</u>să
danach după ac<u>ee</u>a
dankbar recunoscăt/<u>o</u>r
 (-<u>oa</u>re, -<u>o</u>ri)
danke mul<u>ț</u>um<u>e</u>sc
danken
 mul<u>ț</u>um/<u>i</u> (-<u>e</u>sc)
dann ap<u>o</u>i
darum de ac<u>ee</u>a
Datum d<u>a</u>tă (w)
dauern dur/<u>a</u>
 (3. Ez -<u>ea</u>ză)

Decke p<u>ă</u>tur/ă (-i) (w)
denken (an)
 gând/<u>i</u> (-<u>e</u>sc), se (la)
Denkmal
 monum<u>e</u>nt (-e) (s)
deshalb de ac<u>ee</u>a
dick gr/os (-<u>oa</u>să, -<u>o</u>și)
dick (beleibt) gras
Dieb ho<u>ț</u> (-i) (m)
Ding l<u>u</u>cru (-ri) (s)
Dolmetscher
 transl<u>a</u>tor (-i) (m)
Dorf sat (-e) (s)
Dosenöffner
 deschizăt/<u>o</u>r (-<u>oa</u>re) de
 cons<u>e</u>rve (s)
draußen af<u>a</u>ră
drinnen înă<u>u</u>ntru
drücken împ<u>i</u>n/ge (P -s)
dürfen av<u>ea</u> v<u>o</u>ie
Durst s<u>e</u>te (w)
durstig înset<u>a</u>t
Dusche duș (-uri) (s)
duschen f<u>a</u>ce duș

E

Ebene șez (-uri) (s)
Ecke col<u>ț</u> (-uri) (s)
Ehefrau so<u>ț</u>/ie (-i) (w)
Ehemann so<u>ț</u> (-i) (m)
Ei ou (-ă) (s)
Eimer găl/<u>ea</u>tă (-<u>eț</u>i) (w)
einfach s<u>i</u>mplu **Einfahrt,**
-gang intr/<u>a</u>re (-<u>ă</u>ri) (w)
einige c<u>â</u>țiva (m),
 c<u>â</u>teva (w, s)

Einkauf
 cumpărăt<u>u</u>r/ă (-i) (w)
einkaufen cump<u>ă</u>ra
einladen invit<u>a</u>
Einladung
 invit<u>aț</u>i/e (-i) (w)
einmal o d<u>a</u>tă
einsteigen urc<u>a</u>
eintreffen sos/<u>i</u> (-<u>e</u>sc)
Eintrittskarte
 bil<u>e</u>t (-e) de intr<u>a</u>re (s)
einverstanden
 de ac<u>o</u>rd
Eis (Speise-)
 înghe<u>ț</u>at<u>ă</u> (w)
Eiter pur<u>o</u>i (m)
Elend miz<u>e</u>rie (w)
Eltern păr<u>i</u>n<u>ț</u>i (m, Mz)
Empfang
 rec<u>epț</u>i/e (-i) (w)
empfehlen recomand<u>a</u>
Ende sf<u>â</u>r<u>ș</u>it (s)
enden sf<u>â</u>rș/<u>i</u> (-<u>e</u>sc), se
eng str<u>â</u>mt
Ente ra<u>ț</u>/ă (-e) (w)
Entfernung
 dist<u>anț</u>/ă (-e) (w)
entscheiden
 hotăr/<u>â</u> (-<u>e</u>sc)
entschuldigen, sich
 scuz<u>a</u>, se
Entschuldigung sc<u>u</u>z/ă
 (-e) (w)
Erbse m<u>a</u>zăre (=) (w)
Erdbeere
 căp<u>ș</u>un/ă (-i) (w)
Erde păm<u>â</u>nt (s)

o s<u>u</u>tă c<u>i</u>ncizeci și tr<u>e</u>i | **153**

Wörterliste Deutsch – Rumänisch

Erdgeschoss
parter (-e) (s)
Erfrischung
răcoritoare (w, Mz)
erhalten obţin/e (P -ut)
erholen, sich
recrea, se (-ez)
erinnern, sich
a-şi amint/i (-esc)
Erkältung răceală (w)
erklären explic/a
erlauben permi/te (P -s)
Erlaubnis
permisi/e (-i) (w)
Ersatzteil pies/ă (-e) de
schimb (w)
erstemal prima oară
erzählen povest/i (-esc)
Esel măgar (-i) (m)
essen mânca
(1. Ez mănânc)
Essen
mânc/are (-ăruri) (w)
Essig oţet (m)
etwas ceva

F

Fabrik
fabrică (fäbrici) (w)
Faden fir (-e)
Fähre bac (-uri) (s)
fahren călător/i (-esc)
Fahrgast
pasager (-i) (m)
Fahrkarte bilet (-e) de
călătorie (s)

Fahrrad
biciclet/ă (-e) (w)
Fahrt călători/e (-i) (w)
fallen cădea
(1. Ez cad; P căzut)
falls dacă
falsch fals (-şi), greşit
Familie famili/e (-i) (w)
Farbe cul/oare (-ori) (w)
Fass but/oi (-oaie) (s)
Fassade
faţad/ă (-e) (w)
feiern sărbător/i (-esc)
Feld câmp (-uri) (s)
Fenster fer/eastră
(-estre) (w)
Ferien vacanţ/ă (-e) (w)
Fernsehen
televiziun/e (-i) (w)
Fernseher
televiz/or (-oare) (s)
fertig gata
fest stabil
Fest sărbăt/oare
(-ori) (w)
fett gras
feucht umed
Feuer foc (-uri) (s)
Feuerwehr pompieri
(m, Mz)
Feuerzeug brichet/ă
(-e) (w)
Fieber febră (w)
finden găs/i (-esc)
Finger deget (-e) (s)
Fisch peşt/e (-i) (m)
flach neted

Flasche sticl/ă (-e) (w)
Fleisch carne (w)
fleißig harnic
fliegen zbura
(1. Ez zbor)
Flugplatz
aeroport (-uri) (s)
Flugzeug avi/on
(-oane) (s)
Fluss râu (-ri) (s)
Formular formular (-e)
Foto fotografi/e (-i) (w)
Fotoapparat aparat
(-e) de fotografiat (s)
fotografieren
fotografi/a (-ez)
Frage întreb/are (-ări)
Fragebogen
chestionar (-e) (s)
fragen întreba
frei liber
fremd străin
Freund prieten (-i) (m)
Freundin
prieten/ă (-e) (w)
freundlich amabil
Frieden pace (w)
frisch proaspăt
Frisör (Herren-)
frizer (-i) (m)
froh bucur/os (-oasă,
-oşi)
fröhlich vesel
Frucht fruct/ă (-e) (w)
früh devreme
Frühstück mic dejun (s)
fühlen, sich simţi, se

154 | o sută cincizeci şi patru

Wörterliste Deutsch – Rumänisch A–Z

Fuß pici/or (-oare, -ore) (s)
Fußball (Spiel) fotbal (s)

G

Gabel furculiț/ă (-e) (w)
ganz întreg
ganz gut destul de bine
Garage garaj (-e) (s)
Garten grădin/ă (-i) (w)
Gast oaspe/te (-ți) (m)
Gastfreundschaft ospitalitate (w)
Gebäude clădir/e (-i) (w)
geben da (1. Ez dau)
Gebirge mun/te (-ți) (m)
Gebühr tax/ă (-e) (w)
Geburtstag zi (-le) de naștere (w)
Geduld răbdare (w)
geduldig răbdător
Gefahr pericol (-e) (s)
gefährlich pericul/os (-oasă, -oși)
gefallen place (P plăcut)
Geflügel păsări de curte (w, Mz)
gegen împotriva **gegen 7 Uhr** pe la orele 7
gehen mer/ge (P -s)
gehören apartin/e (P -ut)
gelb galben
gemeinsam împreună

Gemüse legume (w, Mz)
genau exact
genug destul
genügend suficient
geöffnet deschis
Gepäck bagaj (-e) (s)
geradeaus drept înainte
Gerät aparat (-e) (s)
gern cu plăcere
Geschäft prăvăli/e (-i) (w)
Geschenk cadou (-ri) (s)
Geschichte istorie (w)
geschlossen închis
Geschwindigkeit vitez/ă (-e) (w)
Gesicht faț/ă (fețe) (w)
Gespräch convorbir/e (-i) (w)
gestern ieri
gesund sănăt/os (-oasă, -oși)
Getränk băutur/ă (-i) (w)
Gewicht greut/ate (-ăți) (w)
Gewohnheit obișnuinț/ă (-e) (w)
giftig otrăvit/or (-oare, -ori)
Gipfel vârf (-uri) (s)
glauben crede (P crezut)
gleich, sofort imediat
gleich egal

gleichgültig indiferent
Gleis lini/e (-i) (w)
Glück noroc
glücklich fericit
Gott Dumnezeu (m)
Grab morm/ânt (-inte) (s)
Grad grad (-e) (s)
gratis gratuit
grau gri
Grenze graniț/ă (-e) (w)
groß mar/e (Mz -i)
Größe mărim/e (-i) (w)
grün ver/de (Mz -zi)
grüßen saluta
gültig valabil
günstig favorabil
Gurke castrave/te (-ți) (m)
Gürtel cur/ea (-ele) (w)

H

haben avea (1. Ez am; P avut)
Hafen port (-uri) (s)
Hahn cocoș (-i) (m)
Hahn (Wasser-) robinet (-e) (s) **hallo** alo
Hals gât (-uri) (s)
Haltestelle stați/e (-i) (w)
Hand mâ/nă (-ini) (w)
Handschuh mănuș/ă (-i) (w)
Handtuch pros/op (-oape) (s)

o sută cincizeci și cinci **155**

Wörterliste Deutsch – Rumänisch

hart tar/e (Mz -i)
Hase iepur/e (-i) (m)
hässlich urât
Hauptbahnhof gară
  principală (w)
Hauptstadt capital/ă
  (-e) (w)
Haus cas/ă (-e) (w)
heilig sfânt
Heimat patrie (w)
heiß fierbin/te (Mz -ți)
helfen ajuta
Hemd căm/așă (-ăși)
  (w)
herrlich minunat
Herz inim/ă (-i) (w)
herzlich cordial
heute azi
Hilfe ajut/or (-oare) (s)
Himbeere zmeur/ă (-e)
  (w)
Himmel cer (-uri) (s)
hinaufgehen urca
hinten în spate
Hitze arșiță (w)
hoch înalt
höchstens cel mult
hoffen spera
höflich politic/os
  (-oasă, -oși)
Holz lemne (m)
Honig miere (w)
hören asculta
hübsch drăguț
Hühnchen pui (=) (m)
Hund câin/e (-i) (m)
hungrig flămând

husten tuș/i (-esc)
Husten tuse (w)
Hut pălări/e (-i) (w)

I

Ikone icoan/ă (-e) (w)
immer mereu
inbegriffen înclus
innen în interior
inzwischen între timp
irren, sich greș/i (-esc)
Irrtum greș/eală (-eli) (w)

J

ja da
jede(r, -s) fiecare
jedes Mal
  de fiecare dată
jetzt acum
Jogurt iaurt (s)
jung tânăr
Junggeselle
  burlac (-i) (m)

K

Kaffee caf/ea (-ele) (w)
Kalbfleisch
  carne de vițel (w)
kalt rec/e (Mz -i)
kaputt stricat
Karotte morcov (-i) (m)
Kartoffel cartof (-i) (m)
Käse brânză (w)
Kasse cas/ă (-e) (w)

kaufen cumpăra
Kaufhaus magazin (-e)
  universal (-e) (s)
Keks biscuiți (m, Mz)
kennen cun/oaște
  (1. Ez -osc)
Kerze
  lumân/are (-ări) (w)
Kette lanț (-uri) (s)
Kind copi/l (-i) (m)
Kino cinema(tografe)
  (s, Mz)
Kirche biseric/ă (-i) (w)
Kirsche
  cir/eașă (-eșe) (w)
Kissen pern/ă (-e) (w)
Kiste ladă (lăzi) (w)
Kleid hain/ă (-e) (w)
Kleidung
  îmbrăcăminte (w)
klein mic (Mz -i)
Kleingeld mărunțiș (s)
Kloster
  mănăstir/e (-i) (w)
Kneipe cârcium/ă (-i)
  (w)
Knoblauch usturoi (m)
kochen (Wasser)
  fierb/e (-t)
kochen (Essen)
  găt/i (-esc)
Kocher
  fierbăt/or (-oare) (s)
Kochtopf
  cratiț/ă (-e) (w)
Koffer
  geamantan (-e) (s)

156 o sută cincizeci și șase

Wörterliste Deutsch – Rumänisch

Kohl v<u>a</u>rză (w) **kommen**
  ven<u>i</u> (1. Ez vin)
kompliziert complic<u>a</u>t
Konditorei
  cofetări/e (-i) (w)
können put<u>ea</u>
  (1. Ez pot; P put<u>u</u>t)
Kopf cap (-ete) (s)
Kopfsalat
  salată v<u>e</u>rde (w)
Korb coș (-uri) (s)
kosten cost<u>a</u>
Kraft put<u>e</u>r/e (-i) (w)
Krankheit
  bo<u>a</u>lă (b<u>o</u>li) (w)
Kugelschreiber
  pix (-uri) (s)
kühl răcor/<u>o</u>s (-o<u>a</u>să,
  -<u>o</u>și)
Kunst <u>a</u>rt/ă (-e) (w)
künstlich artific<u>ia</u>l
kurz scurt
Kuss săr<u>u</u>t (-uri) (s)
küssen sărut<u>a</u>

L

lachen râ/de (P -s)
Laden magaz<u>i</u>n (-e) (s)
Lammfleisch
  c<u>a</u>rne de miel (w)
Lampe
  l<u>a</u>mpă (l<u>ă</u>mpi) (w)
Land ț<u>a</u>ră (ț<u>ă</u>ri) (w)
landen ateriz<u>a</u>/a (-ez)
Landkarte
  h<u>a</u>rtă (h<u>ă</u>rți) (w)

Landstraße
  șos/e<u>a</u> (-<u>e</u>le) (w)
Landwirtschaft
  agricult<u>u</u>ră (w)
lang lung
langsam (auch: leise)
  înc/<u>e</u>t (-e<u>a</u>tă, -<u>e</u>ți); rar
langweilig plictic<u>o</u>s
Lärm zgomot (s)
lassen lăs<u>a</u> (1. Ez las)
leben tră/<u>i</u> (-<u>e</u>sc)
Leben vi<u>a</u>ță (vi<u>e</u>ți) (w)
Leber fic<u>a</u>t (m)
Leder p<u>ie</u>le (w)
ledig necăsător<u>i</u>t
leer gol (go<u>a</u>lă, g<u>o</u>li)
leicht uș/<u>o</u>r (-o<u>a</u>ră, -<u>o</u>ri)
leider din păc<u>a</u>te
lernen învăț<u>a</u>
lesen cit/<u>i</u> (-<u>e</u>sc)
Leute l<u>u</u>me (w, Ez)
Licht lum<u>i</u>n/ă (-i) (w)
Liebe drag<u>o</u>ste (w)
lieben iub/<u>i</u> (-<u>e</u>sc)
Lied c<u>â</u>ntec (-e) (s)
LKW cami/<u>o</u>n (-o<u>a</u>ne)
  (s)
Loch g<u>au</u>ră (g<u>ă</u>uri) (w)
Lohn sal<u>a</u>ri/u (-i) (s)
Luft <u>a</u>er (s)
Luftpost
  p<u>o</u>ștă aeri<u>a</u>nă (w)
Lüge minci<u>u</u>n/ă (-i) (w)
lügen mințî (1. Ez mint)
lustig v<u>e</u>sel

M

machen f<u>a</u>ce (P făc<u>u</u>t)
Mädchen f<u>a</u>tă (f<u>e</u>te) (w)
Magen stom<u>a</u>c (-uri) (s)
Mahlzeit
  m<u>a</u>să (m<u>e</u>se) (w)
Mais por<u>u</u>mb (m)
Maisbrei măm<u>ă</u>ligă (w)
malen pict/<u>a</u> (-ez)
manchmal une<u>o</u>ri
Mann bărb<u>a</u>/t (-ți) (m)
Mantel
  palt/<u>o</u>n (-o<u>a</u>ne) (s)
Markt pi<u>a</u>ță (pi<u>e</u>țe) (w)
Matratze
  salt/e<u>a</u> (-<u>e</u>le) (w)
Meer m<u>a</u>re (m<u>ă</u>ri) (w)
mehr m<u>a</u>i mult
Melone pepen/e (-i) (m)
Menge
  cantit/<u>a</u>te (-<u>ă</u>ți) (w)
Mensch
  om (o<u>a</u>meni) (m)
merken, sich
  țin/e (P -<u>u</u>t) m<u>i</u>nte
Milch l<u>a</u>pte (m)
mindestens cel puț<u>i</u>n
Mineralwasser
  <u>a</u>pă miner<u>a</u>lă (w)
Mittagessen
  prânz (-uri) (s)
mittags la prânz
Mitte m<u>i</u>jloc (s)
Mönch călug<u>ă</u>r (-i) (m)
Mond l<u>u</u>nă (w)
Motor mot/<u>o</u>r (-o<u>a</u>re) (s)

o s<u>u</u>tă c<u>i</u>ncizeci și ș<u>a</u>pte | **157**

Wörterliste Deutsch – Rumänisch

Motorrad
motociclet/ă (-e) (w)
müde obosit
Mund gur/ă (-i) (w)
müssen trebui
Mütze căciul/ă (-i) (w)

N

nach (Ort) spre
nach (Zeit) după
Nachbar vecin (-i) (m)
nachher după aceea
Nachricht știr/e (-i) (w)
Nacht noapte (nopți) (w)
Nachtlokal bar (-uri) de
noapte (s)
nachts noaptea
Nadel ac (-e) (s)
nah aproape
nähen coase (1. Ez cos;
P cusut)
Name nume (=) (m)
Nase nas (s)
nass umed
Natur natură (w)
natürlich (nicht künstl.)
natural
Nebel ceață (w)
neben lângă
nehmen lua (1. Ez iau)
nein nu
neu nou (Mz noi)
neugierig curi/os
(-oasă, -oși)
nichts nimic
nie niciodată

noch încă
Nonne călugăriț/ă (-e) (w)
Norden nord (m)
normal normal
nur numai
nützlich folosit/or
(-oare, -ori)

O

ob dacă
oben sus
Obst fructe (w, Mz)
Obstsaft suc (-uri) (s)
Obus troleibuz (-e) (s)
offen deschis
öffentlich public
öffnen deschid/e (P -s)
oft adesea
ohne fără
Öl ulei (-uri) (s)
Osten est (m)

P

paar câțiva (m),
câteva (w/s)
Paar perech/e (-i) (w)
Paket colet (-e) (s)
Papier hârti/e (-i) (w)
Paprika ardei (m, Mz)
Park parc (-uri) (s)
parken par/ca (-chez)
Parkplatz loc (-uri) de
parcare (s)
Pass (Reise-)
pașap/ort (-oarte) (s)

Pass (Gebirgs-)
pas (-uri) (s)
passen potriv/i (-esc)
Patient
pacien/t (-ți) (m)
Person
persoan/ă (-e) (w)
Pfeffer piper (m)
Pferd cal (cai) (m)
Pflanze plant/ă (-e) (w)
Platz piaț/ă (piețe) (w)
plötzlich dintr-o dată
Politik politică (w)
Polizei poliție (w)
Polizist agen/t (-ți) de
poliție (m)
Post poștă (w)
Postkarte
veder/e (-i) (w)
Preis preț (-uri) (s)
Priester preo/t (ți) (m)
privat particular
probieren (kosten)
gusta
Problem
problem/ă (-e) (w)
pünktlich punctual

Q

Qualität
calit/ate (-ăți) (w)
Quelle izv/or (-oare) (s)
Quittung
chitanț/ă (-e) (w)

Wörterliste Deutsch – Rumänisch

R

Rad roată (roți) (w)
Radieschen ridichi de lună (w, Mz)
Radio radio (-uri) (s)
Rasen gaz/on (-oane) (s)
rasieren, sich rade, se (P -s)
Rast popas (-uri) (s)
Rat sfat (-uri) (s)
Rathaus primări/e (-i) (w)
rauchen fum/a (-ez)
rechnen socot/i (-esc)
Rechnung not/ă (-e) de plată (w)
Recht drept (-uri) (s)
Recht haben avea dreptate
reden vorb/i (-esc)
Regen ploaie (w)
Regenschirm umbrel/ă (-e) (w)
reich bogat
reif copt (coaptă, copți)
Reifen anvelop/ă (-e) (w)
Reis orez (m)
Reise călători/e (-i) (w)
Reisebüro ofici/u (-i) de voiaj (s)
Reiseleiter ghi/d (-zi) (m)
reisen călător/i (-esc)
Reparatur reparați/e (-i) (w)

reparieren repara
reservieren rezerva
Rest rest (-uri) (s)
Rettich ridich/e (-i) (w)
richtig corect, just
Richtung direcți/e (-i) (w)
Rindfleisch carne de vită (w)
roh cru/d (-zi)
rot roș/u (w -ie; Mz -ii)
Rückfahrt întoarcer/e (-i) (w)
Rucksack rucsac (-uri) (s)
rückwärts înapoi
rufen chema
ruhig liniștit
Rumäne român (-i) (m)
Rumänin românc/ă (-e) (w)
Rundfahrt circuit (-e) (s)

S

Sache lucru (-ri) (s)
Sack sac (-i) (m)
Saft suc (-uri) (s)
sagen spu/ne (-s)
Salat salat/ă (-e)
Salbe alifi/e (-i) (w)
Salz sare (săruri) (w)
sammeln cule/ge (P -s)
Sand nisip (s)
satt sătul
sauber curat
sauer acr/u (-ă, -i)

Schaf o/aie (-oi) (w)
Schaffner conductor (-i) (m)
Schallplatte disc (-uri) (s)
Schalter ghișe/u (-e) (s)
Schalter (Licht-) comutat/or (-oare) (s)
Schaufenster vitrin/ă (-e) (w)
schenken dăru/i (-esc)
Schere foarfec/ă (-e) (w)
schicken trimi/te (-s)
schießen tra/ge (P -s)
schlafen dormi
Schlafsack sac (-i) de dormit (m)
schlagen bate (P bătut)
Schlagsahne frișcă (w)
schlecht rău (rea, răi, rele)
schließen închi/de (P -s)
Schlüssel chei/e (-i) (w)
schmackhaft gust/os (-oasă, -oși)
Schmerz durer/e (-i) (w)
schmerzen dur/ea (3. Ez doare; P -ut)
schmutzig murdar
Schnee zăpadă (w)
schneiden tăia (1. Ez tai)
schneien nin/ge (P -s)
schnell repe/de (Mz -zi)
schon deja

o sută cincizeci și nouă | **159**

Wörterliste Deutsch – Rumänisch

schön frum/os (-oasă, -oși)
schrecklich teribil
schreiben scri/e (P -s)
Schuh pantof (-i) (m)
Schuhwerk încălțăminte (w, Mz)
Schule șco/ală (-li) (w)
Schwager cumna/t (-ți) (m)
Schwägerin cumnat/ă (-e) (w)
schwanger gravidă
schwarz ne/gru (-agră, -gri, -gre)
Schweinefleisch carne de porc (w)
schwer gr/eu (-ea, -ei, -ele)
Schwester soră (surori) (w)
schwimmen înota
schwitzen transpira
See lac (-uri) (s)
sehen vedea (1. văd; P văzut)
Sehenswürdigkeiten obiective turistice (s)
Sehnsucht dor (s)
sehr foarte
Seife săpun (-uri) (s)
Seil frânghi/e (-i) (w)
sein (Verb) fi (P fost)
seit de la
Seite (Buch-) pagin/ă (-i) (w)
Seite latur/ă (-i) (w)

selten rar
Senf muștar (m)
setzen, sich așeza, se
sicher sigur
Sicht vedere (w)
singen cânta
so așa
Socke șoset/ă (-e) (w)
sofort imediat
Sohn fi/u (-i) (m)
Sonne soare (m)
Sonnenstich insolație (w)
sorgen avea grijă
Soße sos (-uri) (s)
sparen economis/i (-esc)
spät târziu
spätestens cel târziu
Speise mânc/are (-ăruri) (w)
Speisekarte list/ă (-e) de bucate (w)
Spiegel oglin/dă (-zi) (w)
spielen juca, se (1. Ez joc)
Sprache limb/ă (-i) (w)
sprechen vorb/i (-esc)
Stadt oraș (-e) (s)
stark puternic
statt în loc de
Staub praf (s)
Stechmücke țânțar (-i) (m)
stehen sta (1. Ez stau)
stehlen fura
Stein pi/atră (-etre) (w)

Stelle (Ort) loc (-uri) (s)
stellen așeza
Stempel ștampil/ă (-e) (w)
sterben muri (1. Ez mor)
Stern st/ea (-ele) (w)
Steuer, das cârm/ă (-e) (w)
Steuer, die impozit (-e) (s)
still liniștit
Stimme voc/e (-i) (w)
stinken duhn/i (-esc)
Stock bast/on (-oane) (s)
Stockwerk etaj (-e) (s)
Stoff stof/ă (-e) (w)
stolz mândr/u (-ă, -i)
stören deranj/a (-ez)
Strafe (Geld-) amen/dă (-zi) (w)
Strand țărm (-uri) (s)
Straßenbahn tramvai (-e) (s)
Straßenkreuzung intersecți/e (-i) (w)
Streichholz chibrit (-uri) (s)
streiten certa, se
Strom (Elektr.) curent (m)
Strumpf ciorap (-i) (m)
Stück buc/ată (-ăți) (w)
Stuhl scaun (-e) (s)
suchen căuta (1. Ez caut)
süß dulc/e (Mz -i)

160 | o sută șaizeci

Wörterliste Deutsch – Rumänisch

Süßwaren d<u>u</u>lciuri (s, Mz)
Swimmingpool pisc<u>i</u>n/ă (-e) (w)

T

Tabak tut<u>u</u>n (s)
Tag zi (-le) (w)
Tal v<u>a</u>le (v<u>ă</u>i) (w)
Tank rezerv<u>o</u>r (-o<u>a</u>re) (s)
tanken lu<u>a</u> (1. Ez i<u>a</u>u) benz<u>i</u>nă
Tankstelle stați/e (-i) de benz<u>i</u>nă (w)
Tanz dans (-uri) (s)
Tasche buzun<u>a</u>r (-e) (s)
Taschenlampe lant<u>e</u>rn/ă (-e) (w)
Taschentuch bat<u>i</u>st/ă (-e) (w)
tauschen schimb<u>a</u>
Tee c<u>ea</u>i (-uri) (s)
Teil p<u>a</u>rte (p<u>ă</u>rți) (w)
telefonieren telefon/<u>a</u> (-<u>e</u>z)
Teller farf<u>u</u>ri/e (-i) (w)
teuer scump
tief ad<u>â</u>nc
Tier anim<u>a</u>l (-e) (s)
Tisch m<u>a</u>să (m<u>e</u>se) (w)
Tod m<u>oa</u>rte (w)
Toilette toal<u>e</u>t/ă (-e) (w)
Tomate r<u>o</u>și/e (-i) (w)
Torte tort (-uri) (s)
Tradition tradiți/e (-i) (w)

tragen purt<u>a</u> (1. Ez port)
Traum vis (-e) (s)
traurig trist
treffen înt<u>â</u>ln/i (-<u>e</u>sc)
Treppe tr<u>ea</u>ptă (-<u>e</u>pte) (w)
treu fid<u>e</u>l
trinken b<u>ea</u> (1. Ez beau; P b<u>ă</u>ut)
Trinkgeld bacș<u>i</u>ș (-uri) (s)
Trinkwasser <u>a</u>pă pot<u>a</u>bilă (w)
trocken usc<u>a</u>t
tun f<u>a</u>ce (P făc<u>u</u>t)
Tür uș/ă (-i)
Turm turn (-uri) (s)
Tüte p<u>u</u>ng/ă (-i) (w)

U

über p<u>e</u>ste
übersetzen trad<u>u</u>/ce (P -s)
üblich obișn<u>u</u>it
Ufer mal (-uri) (s)
Uhr (Gegenstand) ceas (-uri) (s)
Uhr (Zeit) <u>o</u>r/ă (-e) (w)
Umleitung ocol<u>i</u>r/e (-i) (w)
umsteigen schimb<u>a</u> tr<u>e</u>nul
umtauschen schimb<u>a</u>
unbedingt neap<u>ă</u>rat
und și
Unfall accid<u>e</u>nt (-e) (s)

ungeduldig ner<u>ă</u>bdăt/<u>o</u>r (-o<u>a</u>re, -<u>o</u>ri)
unten jos
unter sub
Unterführung pas<u>a</u>j (-e) subter<u>a</u>n (-e) (s)
unterhalten, sich distr<u>a</u>
Unterhaltung distr<u>a</u>cți/e (-i) (w)
Unterkunft caz<u>a</u>re (w)
Unterschied difer<u>e</u>nț/ă (-e) (w)
Unterschrift semn<u>ă</u>tur/ă (-i) (w)
Urlaub conc<u>e</u>di/u (-i) (w)

V

verabschieden lu<u>a</u> (1. Ez iau) răm<u>a</u>s bun
verbieten interz<u>i</u>/ce (P -s)
verboten! interz<u>i</u>s!
verdienen câștig<u>a</u>
vergessen uit<u>a</u>
verheiraten, sich căsător/<u>i</u>, se (-<u>e</u>sc)
verirren, sich rătăc/<u>i</u>, se (-<u>e</u>sc)
verkaufen v<u>i</u>nde (1. Ez vând; P vând<u>u</u>t)
Verkehr circul<u>a</u>ție (w)
verlangen c<u>e</u>r/e (P -<u>u</u>t)
verlängern prelung/<u>i</u> (-<u>e</u>sc)
verlassen părăs/<u>i</u> (-<u>e</u>sc)

o s<u>u</u>tă ș<u>a</u>izeci și <u>u</u>nu | **161**

Wörterliste Deutsch – Rumänisch

verleihen conferi
verletzt rănit
Verletzung
  leziun/e (-i) (w)
verliebt îndrăgostit
vermieten închiri/a (-ez)
Versicherung
  asigur/are (-ări) (w)
verspäten întârzia
Verspätung
  întârzier/e (-i) (w)
versprechen
  promi/te (P -s)
verstehen
  înțele/ge (P -s)
viel mult
vielleicht poate
Vogel
  pasăre (păsări) (w)
Volk pop/or (-oare) (s)
voll plin
vorbeigehen trec/e (-ut)
vorbereiten
  pregăt/i (-esc)
vorher înainte
Vorname
  prenume (=) (m)
Vorspeise antreu (-ri) (s)
vorstellen, sich
  (bekannt machen)
  prez/enta, se
  (1. Ez -int)
Vorwahlnummer
  prefix (-e) (s)
vorwärts înainte

W

Waage cântar (-e) (s)
während în timpul
Wald pădur/e (-i) (w)
wann când
warm cald
wärmen încălz/i (-esc)
warten aștepta
Waschbecken
  chiuvet/ă (-e) (w)
waschen, sich
  spăla, se
Wasser apă (w)
Watte vată (w)
wecken trez/i (-esc)
Wecker
  ceas deșteptător (s)
Weg drum (-uri) (s)
wegen din cauza
Wein vin (-uri) (s)
Weinberg vi/e (-i) (w)
weinen plân/ge (P -s)
weiß alb
weit departe
wenig puțin
wenn (Bedingung)
  dacă
wenn (Zeit) când
werden deveni
  (1. Ez devin)
Werkstatt atelier (-e) (w)
Werkzeug
  une/altă (-lte) (w)
Westen vest (m)
Wetter vreme (w),
  timp (s)

wichtig important
wieder iarăși
wiederholen repeta
Wiese lunc/ă (-i) (w)
Wind vânt (-uri) (s)
Winter iarnă (ierni) (w)
wirklich adevărat
wissen șt/i (1. Ez -iu;
  P -iut)
Witz glum/ă (-e) (w)
wohnen locu/i (-esc)
Wohnung
  locuinț/ă (-e) (w)
Wolke nor (-i) (m)
Wort cuv/ânt (-inte) (s)
Wörterbuch
  dicționar (-e) (s)
Wunde ran/ă (-răni) (w)
Wunsch
  dorinț/ă (-e) (w)
wünschen dor/i (-esc)
Wurst cârna/t (-ți) (m)
wütend furi/os
  (-oasă, -oși)

Z

Zahl num/ăr (-ere) (s)
zahlen plăt/i (-esc)
zählen număra
Zahn din/te (-ți) (m)
Zahnarzt medic (-i)
  denti/st (-ști) (m)
Zahnpasta
  past/ă (-e) de dinți (w)
Zange cleșt/e (-i) (m)
zeigen arăta

162 | o sută șaizeci și doi

Wörterliste Rumänisch – Deutsch A–Z

Zeit timp (-uri) (s)
Zeitschrift
 rev**i**st/ă (-e) (w)
Zeitung zi**a**r (-e) (s)
Zelt cort (-uri) (s)
zelten camp/**a** (-**e**z)
Zentrum
 c**e**ntr/u (-e) (s)
zerbrechlich frag**i**l

Zeuge m**a**rtor (-i)
 (m)**Ziege** c**a**pr/ă (-e)
 (w)
ziehen tr**a**/ge (-s)**Ziel**
 (Reise-)
 destin**a**ţi/e (-i) (w)
Zigarette
 ţig**a**r/ă (-**ă**ri) (w)
Zitrone lăm**â**/ie (-i) (w)

zu Fuß pe jos
zu viel pr**e**a mult**Zug**
 tren (-uri) (s)
zurück înap**o**i
zusammen împre**u**nă
zwecklos f**ă**ră rost
Zwiebel
 ce**a**pă (c**e**pe) (w)
zwischen **î**ntre

Wörterliste Rumänisch – Deutsch

A

ac (-e) (s) Nadel
acasă daheim
accident (-e) (s) Unfall
acr/u (-ă, -i) sauer
acum jetzt
adânc tief
adesea oft
adevărat wirklich
adres/ă (-e) (w)
 Adresse
adu/ce (P -s) bringen
aer (s) Luft

aeroport (-uri) (s)
 Flugplatz
afară draußen
agen/t (-ţi) de poliţie
 (m) Polizist
agricultură (w)
 Landwirtschaft
ajuta helfen
ajut/or (-o**a**re) (s) Hilfe
alb weiß
albastru blau
alcool (s) Alkohol
alifi/e (-i) (w) Salbe
alo hallo

amabil freundlich
amân/doi (m), **-două**
 (w/s) beide
ambasad/ă (-e) (w)
 Botschaft (dipl.)
amen/dă (-zi) (w)
 Geldstrafe
amuza, se
 sich amüsieren
animal (-e) (s) Tier
antreu (-ri) (s) Vorspeise
anvelop/ă (-e) (w)
 Reifen
aparat (-e) (s) Gerät

o sută şaizeci şi trei | **163**

Wörterliste Rumänisch – Deutsch

apar**at** (-e) de
  fotografi**at** (s)
  Fotoapparat
apar**țin**/e (P -**ut**)
  gehören
apă (w) Wasser
apă miner**ală** (w)
  Mineralwasser
apă pot**abilă** (w)
  Trinkwasser
ap**oi** dann
apro**ape** nah; beinahe
ar**ăta** zeigen
ar/de (P -**s**) brennen
ard**ei** (m, Mz) Paprika
arș**iță** (w) Hitze
art/ă (-e) (w) Kunst
artifici**al** künstlich
ascul**ta** hören
asemăn**ăt**/**or** (-o**are**,
  -**ori**) ähnlich
asigur/**are** (-**ări**) (w)
  Versicherung
a**șa** so
a**șeza** stellen, setzen
a**șeza**, se sich setzen
a-și amint/**i** (-**esc**)
  sich erinnern
aștep**ta** warten
ateli**er** (-e) (w) Werkstatt
aten**ție!** (w) Achtung!
ateriz/**a** (-**ez**) landen
auto/**stradă** (-**străzi**) (w)
  Autobahn
autob**uz** (-e) (s) Bus
av**ea** (1. Ez **am**; P a**vut**)
  haben

av**ea** drept**ate**
  Recht haben
av**ea** gr**ijă** sorgen
av**ea** nev**oie** brauchen
av**ea** v**oie** dürfen
av**i**/**on** (-o**ane**) (s)
  Flugzeug
azi heute

B

bac (-**uri**) (s) Fähre
bac**șiș** (-**uri**) (s)
  Trinkgeld
baga**j** (-e) (s) Gepäck
b**aie** (b**ăi**) (w) Bad
b**ancă** (b**ănci**) (w) Bank
bar (-**uri**) de no**apte** (s)
  Nachtlokal
bast/**on** (-o**ane**) (s) Stock
bate (P b**ătut**) schlagen
bateri**e** (w) Batterie
bat**ist**/ă (-e) (w)
  Taschentuch
bărb**a**/t (-**ți**) (m) Mann
bătr**ân** alt (Mensch)
băut**ur**/ă (-**i**) (w)
  Getränk
b**ea** (1. Ez b**eau**; P b**ăut**)
  trinken
b**eat** betrunken
benz**ină** (w) Benzin
b**ere** (w) Bier
bicicl**et**/ă (-e) (w)
  Fahrrad
bil**et** (-e) de călător**ie** (s)
  Fahrkarte

bil**et** (-e) de intr**are** (s)
  Eintrittskarte
biscu**iți** (m, Mz) Keks
bis**eric**/ă (-**i**) (w) Kirche
bo**ală** (b**oli**) (w)
  Krankheit
bog**at** reich
br**ânză** (w) Käse
brich**et**/ă (-e) (w)
  Feuerzeug
brut**al** brutal
buc/**ată** (-**ăți**) (w) Stück
bucur/**os** (-o**asă**, -**oși**)
  froh
burl**ac** (-**i**) (m)
  Junggeselle
b**urtă** (w) Bauch
but/**oi** (-o**aie**) (s) Fass
buzun**ar** (-e) (s) Tasche

C

cad**ou** (-**ri**) (s) Geschenk
caf/**ea** (-**ele**) (w) Kaffee
cafen/**ea** (-**ele**) (w) Café
c**ais**/ă (-e) (w) Aprikose
cal (c**ai**) (m) Pferd
cald warm
calit/**ate** (-**ăți**) (w)
  Qualität
cami/**on** (-o**ane**) (s)
  LKW
camp/**a** (-**ez**) zelten
c**amping** (-**uri**) (s)
  Camping
cantit/**ate** (-**ăți**) (w)
  Menge

164 | o **sută** ș**aizeci** și p**atru**

Wörterliste Rumänisch – Deutsch

cap (-ete) (s) Kopf
capital/ă (-e) (w) Hauptstadt
capr/ă (-e) (w) Ziege
căciul/ă (-i) (w) Mütze
carne (w) Fleisch
carne de miel (w) Lammfleisch
carne de porc (w) Schweinefleisch
carne de vită (w) Rindfleisch
carne de vițel (w) Kalbfleisch
carte (cărți) (w) Buch
cartof (-i) (m) Kartoffel
cas/ă (-e) (w) Kasse; Haus
castrave/te (-ți) (m) Gurke
cazare (w) Unterkunft
cădea (1. Ez **cad**; P **căzut**) fallen
călător/i (-esc) fahren, reisen
călători/e (-i) (w) Reise, Fahrt
călugăr (-i) (m) Mönch
călugăriț/ă (-e) (w) Nonne
căm/așă (-ăși) (w) Hemd
căpșun/ă (-i) (w) Erdbeere
căsător/i, se (-esc) sich verheiraten
căuta (1. Ez **caut**) suchen

câin/e (-i) (m) Hund
câmp (-uri) (s) Feld
când als, wenn (zeitl.)
când? wann?
cânta singen
cântar (-e) (s) Waage
cântec (-e) (s) Lied
cârcium/ă (-i) (w) Kneipe
cărm/ă (-e) (w) Steuer (das)
cârna/t (-ți) (m) Wurst
câștiga verdienen
câțiva (m), **câteva** (w/s) einige, paar
ceai (-uri) (s) Tee
ceapă (cepe) (w) Zwiebel
cearșaf (-uri) (s) Bettlaken
ceas (-uri) (s) Uhr
ceas deșteptător (s) Wecker
ceață (w) Nebel
cel mult höchstens
cel puțin mindestens
cel târziu spätestens
centr/u (-e) (s) Zentrum
cer (-uri) (s) Himmel
cer/e (P **-ut**) verlangen
certa, se streiten
cet/ate (-ăți) (w) Burg
ceva etwas
chei/e (-i) (w) Schlüssel
chema rufen
chestionar (-e) (s) Fragebogen

chibrit (-uri) (s) Streichholz
chifl/ă (-e) (w) Brötchen
chitanț/ă (-e) (w) Quittung
chiuvet/ă (-e) (w) Waschbecken
cin/ă (-e) (w) Abendessen
cinema(tografe) (s, Mz) Kino
ciorap (-i) (m) Strumpf
circuit (-e) (s) Rundfahrt
circulație (w) Verkehr
cir/eașă (-eșe) (w) Kirsche
cit/i (-esc) lesen
clădir/e (-i) (w) Gebäude
clești/e (-i) (m) Zange
coală (coli) (w) Blatt (Papier)
coase (1. Ez **cos**; P **cusut**) nähen
cocoș (-i) (m) Hahn
cofetări/e (-i) (w) Konditorei
colet (-e) (s) Paket
colorat bunt
colț (-uri) (s) Ecke
comanda bestellen
como/d (-zi) bequem
complicat kompliziert
comutat/or (-oare) (s) Lichtschalter

o sută șaizeci și cinci | 165

Wörterliste Rumänisch – Deutsch

conced/u (-i) (w)
  Urlaub
conductor (-i) (m)
  Schaffner
conferi verleihen
construcți/e (-i) (w)
  Bau
constru/i (-esc) bauen
con/veni (-vin)
  abmachen
convorbir/e (-i) (w)
  Gespräch
copi/l (-i) (m) Kind
copt (coaptă, copți) reif
cordial herzlich
corect richtig
cort (-uri) (s) Zelt
costa kosten
costum (-e) de baie (s)
  Badeanzug
coș (-uri) (s) Korb
cratiț/ă (-e) (w)
  Kochtopf
cr/ede (P -ezut) glauben
crei/on (-oane) (s)
  Bleistift
cru/d (-zi) roh
cu plăcere gern
cule/ge (P -s) sammeln
cul/oare (-ori) (w)
  Farbe
cumna/t (-ți) (m)
  Schwager
cumnat/ă (-e) (w)
  Schwägerin
cumpăra kaufen,
  einkaufen

cumpărătur/ă (-i) (w)
  Einkauf
cun/oaște (1. Ez -osc)
  kennen
curat sauber
curând bald
curcan (-i) (m) Pute
cur/ea (-ele) (w) Gürtel
curent (m)
  Strom (Elektr.)
curi/os (-oasă, -oși)
  neugierig
cuv/ânt (-inte) (s) Wort

D

da ja
da (1. Ez dau) geben
dacă falls, wenn
  (Bedingung); ob
dans (-uri) (s) Tanz
dar aber
dată (w) Datum
dăru/i (-esc) schenken
de aceea darum,
  deshalb
de acord einverstanden
de fiecare dată
  jedes Mal
de la seit
deal (-uri) (s) Berg
deci also
deget (-e) (s) Finger
deja schon
departe weit
deranj/a (-ez) stören
deschid/e (P -s) öffnen

deschis offen, geöffnet
deschizăt/or (-oare) de
  conserve (s)
  Dosenöffner
despărțir/e (-i) (w)
  Abschied
destinați/e (-i) (w)
  (Reise)Ziel
destul genug
destul de bine ganz gut
deveni (1. Ez devin)
  werden
devreme früh
dicționar (-e) (s)
  Wörterbuch
diferenț/ă (-e) (w)
  Unterschied
din cauza wegen
din păcate leider
din/te (-ți) (m) Zahn
dintr-o dată plötzlich
direcți/e (-i) (w)
  Richtung
disc (-uri) (s)
  Schallplatte
distanț/ă (-e) (w)
  Entfernung
distra sich unterhalten
distracți/e (-i) (w)
  Unterhaltung
district (-e) (s) Bezirk
dor (s) Sehnsucht
dor/i (-esc) wünschen
dorinț/ă (-e) (w)
  Wunsch
dormi schlafen
dragoste (w) Liebe

166 | o sută șaizeci și șase

Wörterliste Rumänisch – Deutsch

drăguț hübsch, nett
drept (-uri) (s) Recht
drept înainte
geradeaus
drum (-uri) (s) Weg
duhn/i (-esc) stinken
dulc/e (Mz -i) süß
dulciuri (s, Mz)
Süßwaren
Dumnezeu (m) Gott
după nach (zeitl.)
după aceea danach,
nachher
dur/a (3. Ez -ează)
dauern
dur/ea (3. Ez doare;
P -ut) schmerzen
durer/e (-i) (w) Schmerz
duș (-uri) (s) Dusche

E

economis/i (-esc)
sparen
egal gleich
est (m) Osten
etaj (-e) (s) Stockwerk
exact genau
excepți/e (-i) (w)
Ausnahme
excursi/e (-i) (w) Ausflug
exempl/u (-e) (s) Beispiel
expeditor (-i) (m)
Absender
explic/a erklären
expoziți/e (-i) (w)
Ausstellung

F

fabrică (fabrici) (w)
Fabrik
face (P făcut) machen,
tun
face baie baden
face duș duschen
faim/os (-oasă, -oși)
berühmt
fals (-și), greșit falsch
famili/e (-i) (w) Familie
farfuri/e (-i) (w) Teller
fasol/ea (-e) (w) Bohne
fată (fete) (w)
Mädchen; Gesicht
fațad/ă (-e) (w)
Fassade
favorabil günstig
fără ohne
fără rost zwecklos
fântân/ă (-i) (w) Brunnen
febră (w) Fieber
fer/eastră (-estre) (w)
Fenster
fericit glücklich
fi (P fost) sein (Verb)
ficat (m) Leber
fidel treu
fiecare jede(r, -s)
fier de călcat (s)
Bügeleisen
fierbăt/or (-oare) (s)
Kocher
fierb/e (-t)
kochen (Wasser)
fierbin/te (Mz -ți) heiß

fir (-e) Faden
fi/u (-i) (m) Sohn
flămând hungrig
floare (flori) (w) Blume
foarfec/ă (-e) (w)
Schere
foarte sehr
foc (-uri) (s) Feuer
folos/i (-esc) benutzen
folosit/or (-oare, -ori)
nützlich
formular (-e) Formular
fotbal (s) Fußball (Spiel)
fotografi/a (-ez)
fotografieren
fotografi/e (-i) (w) Foto
fragil zerbrechlich
frân/a (-ez) bremsen
frânghi/e (-i) (w) Seil
fra/te (-ți) (m) Bruder
frică (w) Angst
frișcă (w) Schlagsahne
frizer (-i) (m)
Herrenfrisör
fruct/ă (-e) (w) Frucht
fructe (w, Mz) Obst
fum/a (-ez) rauchen
frum/os (-oasă, -oși)
schön
funcționar (-i) (m)
Beamter
funcționar/ă (-e) (w)
Beamte
fura stehlen
furculiț/ă (-e) (w) Gabel
furi/os (-oasă, -oși)
wütend

o sută șaizeci și șapte | **167**

Wörterliste Rumänisch – Deutsch

G

galben gelb
gară (gări) (w) Bahnhof
gară principală (w) Hauptbahnhof
garaj (-e) (s) Garage
gard (-uri) (s) Zaun
gata fertig; bereit
gaură (găuri) (w) Loch
gaz/on (-oane) (s) Rasen
găl/eată (-eți) (w) Eimer
găs/i (-esc) finden
găt/i (-esc) kochen (Essen)
gând/i (-esc), se (la) denken (an)
gârl/ă (-e) (w) Bach
gât (-uri) (s) Hals
geamantan (-e) (s) Koffer
ghi/d (-zi) (m) Reiseleiter
ghișe/u (-e) (s) Schalter
glum/ă (-e) (w) Witz
gol (goală, goli) leer
grăb/i, se (-esc) sich beeilen
grad (-e) (s) Grad
graniț/ă (-e) (w) Grenze
gras fett, dick (beleibt)
gratuit gratis
gravidă schwanger
grădin/ă (-i) (w) Garten
greșe/ală (-li) (w) Irrtum

greș/i (-esc) sich irren
gr/eu (-ea, -ei, -ele) schwer
greut/ate (-ăți) (w) Gewicht
gri grau
gr/os (-oasă, -oși) dick
gur/ă (-i) (w) Mund
gusta probieren
gust/os (-oasă, -oși) schmackhaft

H

hain/ă (-e) (w) Kleid
harnic fleißig
hartă (hărți) (w) Landkarte
hârti/e (-i) (w) Papier
hotăr/â (-ăsc) entscheiden
hoț (-i) (m) Dieb

I

iarăși wieder
iarnă (ierni) (w) Winter
iaurt (s) Jogurt
icoan/ă (-e) (w) Ikone
ieftin billig
iepur/e (-i) (m) Hase
ieri gestern
ieșir/e (-i) (w) Ausgang
imediat gleich, sofort
important wichtig
impozit (-e) (s) Steuer (die)

indiferent gleichgültig
informați/e (-i) (w) Auskunft
inim/ă (-i) (w) Herz
insolație (w) Sonnenstich
intenți/e (-i) (w) Absicht
intersecți/e (-i) (w) Straßenkreuzung
interzi/ce (P -s) verbieten
interzis! verboten!
intr/are (-ări) (w) Einfahrt, -gang
intreprinder/e (-i) (w) Betrieb
invita einladen
invitați/e (-i) (w) Einladung
istorie (w) Geschichte
iub/i (-esc) lieben
izv/or (-oare) (s) Quelle

Î

îmbrăcăminte (w) Kleidung
împin/ge (P -s) drücken
împotriva gegen
împreună gemeinsam, zusammen
împrieten/i, se (-esc) sich befreunden
în interior innen
în loc de statt, anstatt
în spate hinten
în timpul während

Wörterliste Rumänisch – Deutsch

înainte vorwärts; vorher
înalt hoch
înapoi rückwärts; zurück
înăuntru drinnen
încă noch
încălțăminte (w, Mz) Schuhwerk
încălz/i (-esc) wärmen
încep/e (P -ut) beginnen, anfangen
început (-uri) (s) Anfang
înc/et (-eată, -eți) leise (aufs Sprechen bezogen); langsam
închi/de (P -s) schließen
închiri/a (-ez) vermieten
închis geschlossen
inclus inbegriffen
îndrăgostit verliebt
înghețată (w) (Speise)Eis
înota schwimmen
însetat durstig
însoț/i (-esc) begleiten
înșela betrügen
înștiința benachrichtigen
întâln/i (-esc) sich begegnen, treffen
întârzia verspäten
întârzier/e (-i) (w) Verspätung
întoarcer/e (-i) (w) Rückfahrt

între zwischen
între timp inzwischen
întreba fragen
întreb/are (-ări) Frage
întreg ganz
înțele/ge (P -s) verstehen
învăța lernen

J

jign/i (-esc) beleidigen
jos unten
juca, se (1. Ez joc) spielen
just richtig

L

la bei
la prânz mittags
lac (-uri) (s) See
ladă (lăzi) (w) Kiste
lampă (lămpi) (w) Lampe
lantern/ă (-e) (w) Taschenlampe
lanț (-uri) (s) Kette
lapte (m) Milch
latur/ă (-i) (w) Seite
lămâ/ie (-i) (w) Zitrone
lăsa (1. Ez las) lassen
lângă neben, bei
legitimație (w) Ausweis
legume (w, Mz) Gemüse
lemne (m) Holz

leziun/e (-i) (w) Verletzung
liber frei
limb/ă (-i) (w) Sprache, Zunge
lini/e (-i) (w) Gleis, Linie
liniștit ruhig, still
list/ă (-e) de bucate (w) Speisekarte
loc (-uri) (s) Stelle, Ort
loc (-uri) de parcare (s) Parkplatz
locu/i (-esc) wohnen
locuinț/ă (-e) (w) Wohnung
locuitor (-i) (m) Bewohner
lua (1. Ez iau) nehmen
lua (1. Ez iau) benzină tanken
lua (1. Ez iau) rămas bun verabschieden
lucru (-ri) (s) Ding, Sache
lumân/are (-ări) (w) Kerze
lume (w, Ez) Leute
lumin/ă (-i) (w) Licht
lună (w) Mond
lunc/ă (-i) (w) Wiese
lung lang

M

magazin (-e) (s) Laden
magazin universal (s) Kaufhaus

o sută șaizeci și nouă | 169

Wörterliste Rumänisch – Deutsch

mai bine besser
mai mult mehr
mal (-uri) (s) Ufer
mar/e (Mz -i) groß
mare (mări) (w) Meer
martor (-i) (m) Zeuge
masă (mese) (w)
  Mahlzeit; Tisch
maşin/ă (-i) (w) Auto
mazăre (=) (w) Erbse
măgar (-i) (m) Esel
mămăligă (w) Maisbrei
mănăstir/e (-i) (w)
  Kloster
mănuş/ă (-i) (w)
  Handschuh
măr (mere) (s) Apfel
mărim/e (-i) (w) Größe
mărunţiş (s) Kleingeld
mâ/nă (-ini) (w) Hand
mânca (1. Ez mănânc)
  essen
mânc/are (-ăruri) (w)
  Essen; Speise
mândr/u (-ă, -i) stolz
medic dentist (m)
  Zahnarzt
medicament (-e) (s)
  Arznei
mereu immer
mer/ge (P -s) gehen
meseri/e (-i) (w) Beruf
mic (Mz -i) klein
mic dejun (s) Frühstück
miere (w) Honig
mijloc (s) Mitte
minciun/ă (-i) (w) Lüge

ming/e (-i) (w) Ball
minţi (1. Ez mint) lügen
minunat herrlich
mizerie (w) Elend
moarte (w) Tod
monument (-e) (s)
  Denkmal
morcov (-i) (m) Karotte
morm/ânt (-inte) (s) Grab
motociclet/ă (-e) (w)
  Motorrad
mot/or (-oare) (s) Motor
mult viel
mulţumesc danke
mulţum/i (-esc)
  danken
munc/ă (-i) (w) Arbeit
munc/i (-esc) arbeiten
muncitor (-i) (m)
  Arbeiter
mun/te (-ţi) (m) Gebirge
murdar schmutzig
muri (1. Ez mor) sterben
muştar (m) Senf

N

nas (s) Nase
natură (w) Natur
natural natürlich
  (nicht künstlich)
neapărat unbedingt
necăsătorit ledig
ne/gru (-agră, -gri, -gre)
  schwarz
nerăbdăt/or (-oare, -ori)
  ungeduldig

neted flach
niciodată nie
nimic nichts
nin/ge (P -s) schneien
nisip (s) Sand
noapte (nopţi) (w)
  Nacht
noaptea nachts
nord (m) Norden
normal normal
noroc Glück
not/ă (-e) de plată (w)
  Rechnung
nou (Mz noi) neu
nu nein
numai nur
num/ăr (-ere) (s) Zahl
număra zählen
nume (=) (m) Name

O

o dată einmal
oaie (oi) (w) Schaf
oaspe/te (-ţi) (m) Gast
obiective turistice (s)
  Sehenswürdigkeiten
obişnuinţ/ă (-e) (w)
  Gewohnheit
obişnuit üblich
obosit müde
observa bemerken
obţin/e (P -ut) erhalten
ochelari (m, Mz) Brille
ocolir/e (-i) (w)
  Umleitung
ocupat besetzt

170 | o sută şaptezeci

Wörterliste Rumänisch – Deutsch

oferi anbieten
ofici/u (-i) (s) Büro
ofici/u (-i) de voiaj (s) Reisebüro
oglin/dă (-zi) (w) Spiegel
om (oameni) (m) Mensch
or/ă (-e) (w) Uhr (Zeit)
oraș (-e) (s) Stadt
ordona befehlen
orez (m) Reis
ospătar (-i) (m) Bedienung (Ober)
ospitalitate (w) Gastfreundschaft
otrăvit/or (-oare, -ori) giftig
oțet (m) Essig
ou (-ă) (s) Ei

P

pace (w) Frieden
pacien/t (-ți) (m) Patient
pagin/ă (-i) (w) (Buch)Seite
palt/on (-oane) (s) Mantel
panoram/ă (-e) (w) Aussicht
pantof (-i) (m) Schuh
pară (pere) (s) Birne
parc (-uri) (s) Park
par/ca (-chez) parken
parte (părți) (w) Teil

parter (-e) (s) Erdgeschoss
particular privat
pas (-uri) (s) (Gebirgs)Pass
pasager (-i) (m) Fahrgast
pasaj subteran (s) Unterführung
pasăre (păsări) (w) Vogel
past/ă (-e) de dinți (w) Zahnpasta
pașap/ort (-oarte) (s) (Reise)Pass
pat (-uri) (s) Bett
patrie (w) Heimat
pădur/e (-i) (w) Wald
pălări/e (-i) (w) Hut
pământ (s) Erde
părăs/i (-esc) verlassen
părinți (m, Mz) Eltern
păsări de curte (w, Mz) Geflügel
pătur/ă (-i) (w) Decke
pâin/e (-i) (w) Brot
până bis
pe jos zu Fuß
pe la orele 7 gegen 7 Uhr
pe lângă aceasta außerdem
pedeps/i (-esc) bestrafen
pepen/e (-i) (m) Melone
perech/e (-i) (w) Paar
pericol (-e) (s) Gefahr

pericul/os (-oasă, -oși) gefährlich
permi/te (P -s) erlauben
permisi/e (-i) (w) Erlaubnis
pern/ă (-e) (w) Kissen
per/on (-oane) (s) Bahnsteig
persoan/ă (-e) (w) Person
peste über
pește (-i) (m) Fisch
pi/atră (-etre) (w) Stein
piață (piețe) (w) Platz, Markt
pici/or (-oare) (s) Bein; Fuß
pict/a (-ez) malen
piele (w) Leder
piep/t (-ți) (m) Brust (Mann)
piersic/ă (-i) (w) Pfirsich
pies/ă (-e) de schimb (w) Ersatzteil
piper (m) Pfeffer
piscin/ă (-e) (w) Swimmingpool
pix (-uri) (s) Kugelschreiber
place (P plăcut) gefallen
plant/ă (-e) (w) Pflanze
plăt/i (-esc) (be)zahlen
plân/ge (P -s) sich beschweren; weinen

o sută șaptezeci și unu | 171

Wörterliste Rumänisch – Deutsch

plec<u>a</u> abreisen
plec/<u>a</u>re (-<u>ă</u>ri) (w) Abfahrt
plic (-uri) (s) Briefumschlag
plin voll
pl<u>oa</u>ie (w) Regen
p<u>oa</u>te vielleicht
pod (-uri) (s) Brücke
poft<u>ă</u> (w) Appetit
pol<u>i</u>ție (w) Polizei
pol<u>i</u>tică (w) Politik
pol<u>i</u>tic/<u>o</u>s (-<u>oa</u>să, -<u>o</u>și) höflich
pompi<u>e</u>ri (m, Mz) Feuerwehr
p<u>o</u>pas (-uri) (s) Rast
pop/<u>o</u>r (-<u>oa</u>re) (s) Volk
port (-uri) (s) Hafen
por<u>u</u>mb (m) Mais
p<u>o</u>ștă (w) Post
p<u>o</u>ștă aeri<u>a</u>nă (w) Luftpost
potriv/<u>i</u> (-<u>e</u>sc) passen
povest/<u>i</u> (-<u>e</u>sc) erzählen
praf (s) Staub
prânz (-uri) (s) Mittagessen
prăvăli/<u>e</u> (-i) (w) Geschäft
prea mult zu viel
pref<u>i</u>x (-e) (s) Vorwahlnummer
pregăt/<u>i</u> (-<u>e</u>sc) vorbereiten
prelung/<u>i</u> (-<u>e</u>sc) verlängern

pren<u>u</u>me (=) (m) Vorname
pre<u>o</u>/t (-ți) (m) Priester
preț (-uri) (s) Preis
prez/<u>e</u>nta, se (1. Ez -<u>i</u>nt) sich vorstellen, bekannt machen
priet<u>e</u>n (-i) (m) Freund
priet<u>e</u>n/ă (-e) (w) Freundin
pr<u>i</u>ma o<u>a</u>ră erstemal
primări/e (-i) (w) Rathaus
prim/<u>i</u> (-<u>e</u>sc) bekommen
pro<u>a</u>spăt frisch
probl<u>e</u>m/ă (-e) (w) Problem
prom<u>i</u>/te (P -s) versprechen
pron<u>u</u>nție (w) Aussprache
pros/<u>o</u>p (-<u>oa</u>pe) (s) Handtuch
p<u>u</u>blic öffentlich
pui (=) (m) Hühnchen
punctu<u>a</u>l pünktlich
p<u>u</u>ng/ă (-i) (w) Tüte
pur<u>o</u>i (m) Eiter
pur<u>t</u>a (1. Ez port) tragen
put<u>e</u>a (1. Ez pot; P put<u>u</u>t) können
put<u>e</u>r/e (-i) (w) Kraft
put<u>e</u>rnic stark
puț<u>i</u>n wenig

R

r<u>a</u>de, se (P -s) sich rasieren
r<u>a</u>dio (-uri) (s) Radio
r<u>a</u>nă (răni) (w) Wunde
rar selten; langsam (aufs Sprechen bezogen)
raț/ă (-e) (w) Ente
răbd<u>a</u>re (w) Geduld
răbd<u>ă</u>tor geduldig
răce<u>a</u>lă (w) Erkältung
răcorit<u>oa</u>re (w, Mz) Erfrischung
răcor<u>o</u>/s (-<u>a</u>să, -și) kühl
răm/<u>â</u>ne (P -<u>a</u>s) bleiben
răn<u>i</u>t verletzt
răsp<u>u</u>n/de (P -s) antworten
răsp<u>u</u>ns (-uri) (s) Antwort
rătăc/<u>i</u>, se (-<u>e</u>sc) sich verirren
rău (rea, răi, rele) schlecht
râ/de (P -s) lachen
râu (-ri) (s) Fluss
r<u>e</u>c/e (Mz -i) kalt
recepți/e (-i) (w) Empfang
reclamați/e (-i) (w) Beschwerde
recoma<u>n</u>da empfehlen
recre<u>a</u>, se (-<u>e</u>z) sich erholen
recunoscăt/<u>o</u>r (-<u>oa</u>re, -<u>o</u>ri) dankbar

172 | o s<u>u</u>tă șaptez<u>e</u>ci și doi

Wörterliste Rumänisch – Deutsch A–Z

remor/ca (-chez) abschleppen

repara reparieren

reparați/e (-i) (w) Reparatur

repe/de (Mz -zi) schnell

repeta wiederholen

rest (-uri) (s) Rest

revist/ă (-e) (w) Zeitschrift

rezerva reservieren

rezerv/or (-oare) (s) Tank

ridich/e (-i) (w) Rettich

ridichi de lună (w, Mz) Radieschen

roată (roți) (w) Rad

robinet (-e) (s) (Wasser)Hahn

român (-i) (m) Rumäne

românc/ă (-e) (w) Rumänin

roși/e (-i) (w) Tomate

roș/u (w -ie; Mz -ii) rot

rucsac (-uri) (s) Rucksack

rugămin/te (-ți) (w) Bitte

S

sac (-i) (m) Sack

sac (-i) de dormit (m) Schlafsack

salari/u (-i) (s) Lohn

salat/ă (-e) Salat

salată verde (w) Kopfsalat

salt/ea (-ele) (w) Matratze

saluta (be)grüßen

sare (săruri) (w) Salz

sat (-e) (s) Dorf

sănăt/os (-oasă, -oși) gesund

săpun (-uri) (s) Seife

sărac arm

sărbăt/oare (-ori) (w) Fest

sărbător/i (-esc) feiern

sărut (-uri) (s) Kuss

săruta küssen

sătul satt

sân (-i) (m) Brust (Frau)

sânge (m) Blut

scaun (-e) (s) Stuhl

schimba (um)tauschen

schimba trenul umsteigen (Zug)

scri/e (P -s) schreiben

scris/oare (-ori) (w) Brief

scrumier/ă (-e) (w) Aschenbecher

scula, se (1. Ez scol) aufstehen

scump teuer

scurt kurz

scuz/ă (-e) (w) Entschuldigung

scuza, se sich entschuldigen

seara abends

seară (seri) (w) Abend

semnătur/ă (-i) (w) Unterschrift

servici/u (-i) (s) Bedienung (Dienst)

sete (w) Durst

sfat (-uri) (s) Rat

sfânt heilig

sfârș/i (-esc), se enden

sfârșit (s) Ende

sigur sicher

simplu einfach

simți, se sich fühlen

singur allein

slip (-uri) (s) Badehose

soare (m) Sonne

socot/i (-esc) rechnen

soră (surori) (w) Schwester

sos (-uri) (s) Soße

sos/i (-esc) ankommen, eintreffen

sosir/e (-i) (w) Ankunft

soț (-i) (m) Ehemann

soți/e (-i) (w) Ehefrau

spăla, se sich waschen

spectacol (-e) (s) Aufführung

spera hoffen

spre nach (Ort)

spu/ne (-s) sagen

sta (1. Ez stau) stehen

stabil fest

stați/e (-i) (w) Haltestelle

stați/e (-i) de autobuz (w) Bushaltestelle

stați/e (-i) de benzină (w) Tankstelle

st/ea (-ele) (w) Stern

o sută șaptezeci și trei **173**

ⒶⓏ Wörterliste Rumänisch – Deutsch

sticl/ă (-e) (w) Flasche
stof/ă (-e) (w) Stoff
stomac (-uri) (s) Magen
străin fremd
străin (-i) (m) Ausländer
străinătate (w) Ausland
strâmt eng
stricat kaputt
sub unter
suc (-uri) (s) (Obst)Saft
suficient genügend
sus oben

Ş

şc/oală (-oli) (w) Schule
şedere (w) Aufenthalt
şef (-i) (m) Chef
şez (-uri) (s) Ebene
şi und; auch
şofer (-i) (m) Chauffeur
şos/ea (-ele) (w)
   Landstraße
şoset/ă (-e) (w) Socke
ştampil/ă (-e) (w)
   Stempel
şt/i (1. Ez -iu; P -iut)
   wissen
ştir/e (-i) (w) Nachricht
ştrand (-uri) (s) Strand

T

tablo/u (-uri) (s) Bild
tar/e (Mz -i) hart
tax/ă (-e) (w) Gebühr
tăia (1. Ez tai)

schneiden
tânăr jung
târziu spät
telefon/a (-ez)
   telefonieren
televiz/or (-oare)
   Fernseher
televiziun/e (-i) (w)
   Fernsehen
teribil schrecklich
termina beenden
timbr/u (-e) (s)
   Briefmarke
timp (-uri) (s) Zeit;
   Wetter
toalet/ă (-e) (w) Toilette
tort (-uri) (s) Torte
toţi (m), toate (w, s) alle
tradiţi/e (-i) (w)
   Tradition
tradu/ce (P -s)
   übersetzen
tra/ge (P -s) schießen,
   ziehen
tramvai (-e) (s)
   Straßenbahn
translator (-i) (m)
   Dolmetscher
transpira schwitzen
trat/a (-ez) behandeln
   (Krankheit)
tră/i (-esc) leben
tr/eaptă (-epte) (w)
   Treppe
trebui müssen
trec/e (-ut)
   vorbeigehen

tren (-uri) (s) Zug
trez/i (-esc)
   (auf)wecken
trez/i, se (-esc)
   aufwachen
trimi/te (-s) schicken
trist traurig
troleibuz (-e) (s) Obus
turn (-uri) (s) Turm
tuse (w) Husten
tuş/i (-esc) husten
tutun (s) Tabak

Ţ

ţară (ţări) (w) Land
ţăran (-i) (m) Bauer
ţânţar (-i) (m)
   Stechmücke
ţig/ară (-ări) (w)
   Zigarette
ţin/e (P -ut) minte
   sich merken

U

uita vergessen
ulei (-uri) (s) Öl
umbrel/ă (-e) (w)
   Regenschirm
umed feucht, nass
un/ealtă (-elte) (w)
   Werkzeug
uneori manchmal
unt (m) Butter
urca auf-, einsteigen,
   hinaufgehen

174 | o sută şaptezeci şi patru

Wörterliste Rumänisch – Deutsch

uscat trocken
usturoi (m) Knoblauch
uș/ă (-i) Tür
uș/or (-oară, -ori) leicht

V

vacanț/ă (-e) (w) Ferien
valabil gültig
vale (văi) (w) Tal
vară (vere) (w) Cousine
varză (w) Kohl
vată (w) Watte
văr (veri) (m) Cousin
vânt (-uri) (s) Wind
vârf (-uri) (s) Gipfel
vech/i (-e) alt (Ding)
vecin (-i) (m) Nachbar
vedea (1. văd; P văzut) sehen

veder/e (-i) (w) Postkarte
vedere (w) Sicht
veni (1. Ez vin) kommen
ver/de (Mz -zi) grün
vesel fröhlich, lustig
vest (m) Westen
viaț/ă (vieți) (w) Leben
vi/e (-i) (w) Weinberg
vin (-uri) (s) Wein
vinde (1. Ez vând; P vândut) verkaufen
vinete (w, Mz) Auberginen
vis (-e) (s) Traum
vitez/ă (-e) (w) Geschwindigkeit
vitrin/ă (-e) (w) Schaufenster
vizion/a (-ez) besichtigen

vizit/a (-ez) besuchen
vizit/ă (-e) (w) Besuch
voc/e (-i) (w) Stimme
vorb/i (-esc) reden, sprechen
vreme (w) Wetter

Z

zăpadă (w) Schnee
zbura (1. Ez zbor) fliegen
zgomot (s) Lärm
zi (-le) (w) Tag
zi (-le) de naștere (w) Geburtstag
ziar (-e) (s) Zeitung
zmeur/ă (-e) (w) Himbeere

Der Autor

Jürgen Salzer, Jahrgang 1942.

Aufgewachsen bin ich in Rumänien, im siebenbürgischen Kronstadt/Brașov, einer der schönsten Städte Rumäniens. Wandern und Reisen war schon immer meine größte Leidenschaft. So habe ich während meiner Semesterferien als Student der Germanistik/Anglistik den Reiseleiter für deutsche und skandinavische Touristen gespielt und später als Redakteur des deutschen Auslandsdienstes von Radio Bukarest meine Heimat kreuz und quer bereist. Mein zweites Hobby sind Sprachen. Ich beherrsche einige ost- und nordeuropäische Sprachen und habe mir als Dolmetscher und Sprachlehrer ein Zubrot verdient. Zudem bin ich ein begeisterter Hobbykoch. Varza a la Cluj (Klausenburger Kraut) ist eine meiner Spezialitäten.

Seit August 1990 lebe ich in Deutschland und arbeite als Dolmetscher, Übersetzer und Sprachlehrer.